EL BRUTO™

UN LUGAR DONDE REINA LA PENA Y EL DOLOR

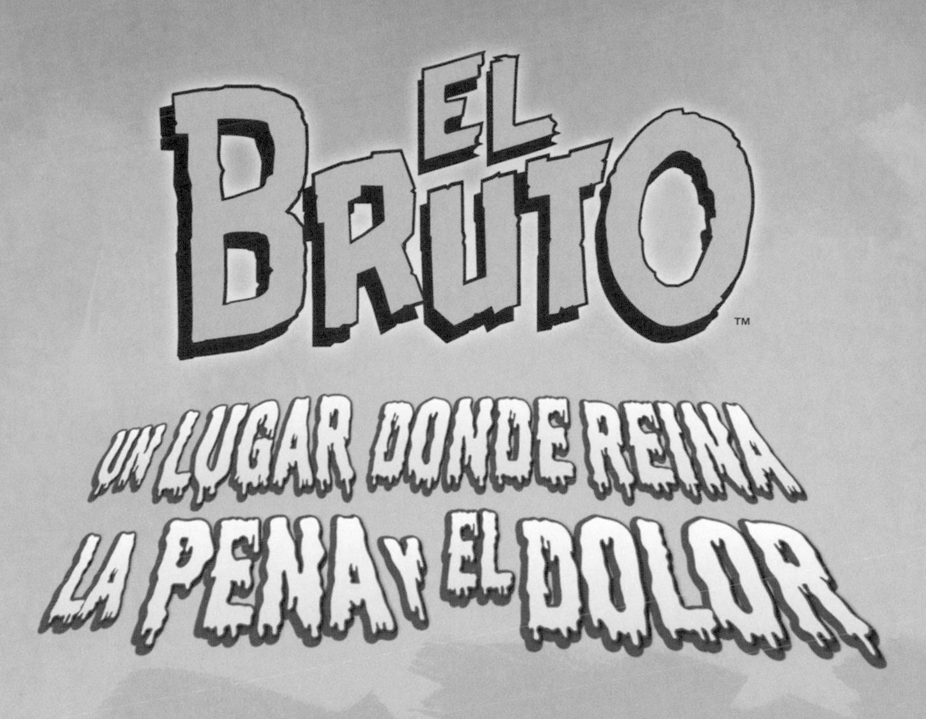

de **Eric Powell**

edición americana a cargo de
Matt Dryer
Scott Allie
Sierra Hahn
Freddye Lins
Katie Moody
Ryan Jorgenson

diseño
Amy Arendts

editor
Mike Richardson

NORMA Editorial

Este volumen recopila The Goon nº19 a 23 USA.

EL BRUTO 7. UN LUGAR DONDE REINA LA PENA Y EL DOLOR. (Colección Made in Hell nº113). Marzo de 2011.
 Publicación de NORMA Editorial, S.A. Pg. St. Joan 7, Pral. 08010 Barcelona. Tel.: 93 303 68 20 — Fax: 93 303 68
E-mail: norma@normaeditorial.com.

Traducción: Raúl Sastre. Rotulación: DRAC Studio

ISBN: 978-84-679-0395-9

Printed in Singapore.

www.NormaEditorial.com • www.NormaEditorial.com/blog • www.darkhorse.com

Consulta los puntos de venta de nuestras publicaciones en www.normaeditorial.com/librerias
Servicio de venta por correo: Tel. 93 244 81 25, correo@normaeditorial.com, www.normaeditorial.com/correo

INTRODUCCIÓN

NADA ES TAN COMPLICADO COMO PARECE POR JOE HILL

En este lugar, un gorila con los pies deformes lucha contra un bebé zombi rabioso en el sótano. Un travesti no muerto de tamaño colosal destroza los patios traseros de las casas cuando la asociación de caseros locales aún no ha reparado los daños que un monstruo gigante provocó durante la *última* orgía de violencia que arrasó la ciudad. Los charcos están repletos de paletos sin dientes, de esa clase de pueblerinos que creen que *Deliverance* era un romance de gran contenido intelectual. Este no es un sitio donde criar a un hijo. ¿Qué va a hacer aquí para divertirse? ¿Pelearse por las entrañas de un pez con otros niños? Sí. Algo así. Yo diría que este lugar se está yendo al infierno, pero tengo entendido que en el averno los bienes inmuebles valen más que aquí.

Este terreno en particular del reino de la imaginación se llama El Callejón Solitario y pertenece a un oriundo de Tennessee llamado Eric Powell. Lleva ya diez años arrastrando a la gente a ese lugar innoble, el tiempo que lleva guionizando y dibujando *El Bruto;* un proyecto que, con el paso de los años, le ha hecho ganarse un puesto junto a Kirby, Eisner, Chester Gould, Hal Foster y Al Feldstein... junto a los dibujantes y guionistas más creativos e imaginativos que han desarrollado su inmenso talento en el campo del cómic.

Os habréis fijado en que la mayoría de esos nombres son de gente que murió hace tiempo, de gente que realizó sus mejores obras en la época de posguerra, cuando la gente consideraba que las carreras de galgos eran un deporte y que los cigarrillos mentolados eran buenos para los pulmones. No eran unos tiempos más sencillos que los que nos ha tocado vivir, como se suele pensar, sino una época en que si bien la gente sabía menos cosas, vivía la vida con mucha más intensidad. No creo que sea algo accidental que el Bruto (ese grandullón estoico que manda en el barrio con la ayuda de Franky, su alegre y bocazas mano derecha) deambule con gesto serio y la mandíbula apretada por una lóbrega ciudad típica del género negro como las que dibujaba Eisner, como aquellas por las que deambulaba Bogart o sobre las que Mike Hammer escribió. El Callejón Solitario es, al fin y al cabo, no solo una carretera secundaria por la que se pierde nuestra mente, sino un camino perdido del pasado, que se adentra directamente en nuestros recuerdos de la cultura pop. Powell no es solo un dibujante, sino también un cartógrafo; y *El Bruto* no es solo un mero entretenimiento, sino un mapa en el que nos muestra los rasgos más importantes y característicos a nivel geográfico y cultural de un país que no es real y que, no obstante, existe en la imaginación de todos aquellos a los que les encantan los cómics repletos de peleas, de monstruos babeantes salidos de una obra de Lovecraft, de poses de "acércate si quieres algo" a lo Bettie Page y el estruendoso "*ra-ta-ta*" de las metralletas de los films de gángsteres de la época de James Cagney.

¿Cómo descubrió Powell esa ruta que lleva a un territorio narrativo tan fértil? Creo que un guionista o un dibujante nunca encuentra el camino a un lugar como el Callejón Solitario si lo busca de manera consciente, puesto que es de esa clase de lugares que un creador normalmente solo puede hallar si *no* lo busca. Probablemente, Powell localizó por primera vez el Callejón Solitario mientras intentaba garabatear ociosamente algo que les hiciera reír a sus degenerados amigos y a él. Dicho de otro modo, cuando estaba inmerso en un emocionante viaje plagado de emoción en el que sigue embarcado. Eric Powell, al igual que Kirby, al igual que Feldstein, no está interesado en dibujar para la posteridad, sino en proporcionarles grandes dosis de emoción a sus lectores *ahora mismo.* Habéis pagado para entreteneros y pasar un buen rato y eso es lo que vais a obtener a espuertas. Powell profesa la fe del entretenimiento y se dedica a propagar ese evangelio (es la misma fe que profesaban todos los dioses del cómic que hemos mencionado anteriormente) y como resultado, de un modo casi inevitable, *El Bruto* ya es una obra atemporal. Como el mismo Bruto afirma, en cierto momento de la páginas que vais a leer: "Nada es tan complicado como parece".

En la historia que estáis a punto de leer, el Bruto y Franky consiguen un nuevo carro realmente molón (un Buick Roadmaster del 49, creo). No puedo evitar pensar que su nuevo coche es una suerte de talismán, una advertencia sobre lo que va a suceder, una señal de que las aventuras del Bruto están derivando hacia nuevos derroteros. Resulta muy difícil no tener la sensación de que Powell está pisando a fondo el acelerador para llevarnos hacia el corazón de su *grand guignol* (una expresión francesa que alude a obras repletas de violencia y aterradoras), una fábula tenebrosa por naturaleza que durante años se ha basado en una dieta estricta de diálogos absurdos de paletos y leches repartidas a diestro y siniestros por nuestro héroe. El habitual humor negro de Powell se nos muestra en todo su esplendor en estas páginas, pero bajo la superficie encontramos algo inesperado, algo plagado de tensión. Está ahí, en las primeras viñetas del cuarto capítulo del libro, en un despliegue inusitado de violencia de tintes cómicos que resulta desconcertantemente no todo lo cómica que cabría esperar. Así como en la mitad de ese mismo capítulo, cuando el Bruto se sube solo a su nuevo coche para dar un angustioso paseo por el Callejón Solitario. Supongo que no estropearé ninguna sorpresa si os digo que el final de esta novela gráfica no es un final al uso propiamente dicho, sino el principio de algo siniestro y maravilloso. Tras una década entreteniendo a sus lectores, ahora tenemos muy claro que Powell únicamente estaba calentando motores.

Ah, y otra cosa más. La edición mensual de *El Bruto* incluye una sección de cartas de los lectores en las últimas páginas; lo cual es una forma más de llevarnos a aquella época en que los cómics se vendían en kioscos por cuatro duros. En esa sección pude leer una carta de un chaval cuya familia se había mudado a Alaska, y que, en medio del despiadado invierno de Yukón donde el sol nunca asoma la cabeza, se había topado con el cómic de *El Bruto*. Aquel muchacho le escribió a Eric Powell simplemente para darle las gracias por entretenerlo con sus aventuras y darle una razón para reír en unos momentos en que necesitaba ambas cosas desesperadamente.

Le entiendo perfectamente. En los momentos en que me he sentido más deprimido o hundido, me ha bastado con leer unos cuantos episodios de *El Bruto* para animarme y decir adiós a la tristeza. Cuando la ansiedad se acumula sobre mí como una horda de bebés zombi en pañales, el Bruto está ahí para lanzar un descomunal gancho de abajo arriba a lo Jack Kirby y lanzarlos por los aires.

En un mundo sumamente infeliz, esto es algo realmente extraordinario, quizá lo mejor que puede hacer una obra surgida del territorio de la imaginación: darte un vehículo, un Roadmaster muy molón, para llevarte muy lejos de la gélida Yukón de los malos momentos hasta un nuevo país alucinante, hasta un lugar familiar que resulta al mismo tiempo que desconocido, donde la posibilidad de alcanzar una victoria a puñetazos sobre el mal solo se encuentra a unas viñetas de distancia. Subíos a él, sentaos y disfrutad del viaje. Podéis confiar en que Eric Powell os va a llevar por el buen camino hasta donde realmente queréis ir.

Joe Hill

New Hampshire, diciembre de 2008

EL RETORNO
HAN PASADO TRES MESES DESDE QUE EL EJÉRCITO DE MONSTRUOS SUBNORMALES DEL POPE SE CARGÓ MI TUGURIO FAVORITO. ECHO DE MENOS PILLARME UN BUEN PEDO EN EL BAR DE NORTON. ERA MI BAR. PERO ESO NO ES LO ÚNICO QUE HA CAMBIADO.
QUÉ VA.

POCO DESPUÉS DE QUE ARRASARAN EL BAR DE NORTON, ME DESTROZARON EL CARRO.
VAYA

AUNQUE SIGO SIN SABER POR QUÉ FRANKY TENÍA A ESE MERCERO ATADO EN EL ASIENTO DE ATRÁS.

POR CIERTO, ¿ME QUIERES EXPLICAR QUÉ HACE ESE MERCERO AHÍ ATRÁS?
¡¿CÓMO ME PREGUNTAS ESO AHORA QUE UNOS CABEZONES ESTÁN ATACANDO NUESTRO PUÑETERO COCHE?!

PUES SÍ. ESE TÍO LLEVA HORAS ATADO AHÍ DETRÁS. NO HABÍA DICHO NADA HASTA AHORA PORQUE HE DADO POR SENTADO QUE ME LO EXPLICARÍAS EN ALGÚN MOMENTO. PERO NO PUEDO IGNORAR A ESE TÍO QUE LLEVAMOS ATADO EN EL ASIENTO DE ATRÁS ETERNAMENTE, ¿SABES?

BUENO... AUNQUE NO SEA ASUNTO TUYO, TE LO CONTARÉ... ¡ME ROBÓ MI TRUÑO!
¡¿QUÉ COÑO ES UN TRUÑO?!
¡¡Y A TI QUÉ TE IMPORTA!!

¡ÉL SABE PERFECTAMENTE LO QUE HA HECHO! ¡¿VERDAD, WILSON?! ¡MENUDO HIJO DE ESTÁ HECHO EL LISTILLO DE LOS !

Y ESE FUE EL FIN DE MI COCHE. DE TODOS MODOS, FRANKY Y YO PUDIMOS OCUPARNOS PERFECTAMENTE DEL RESTO DE CABEZONES QUE NO QUEDARON HECHOS PICADILLO EN EL CHOQUE, YA QUE NO ACABAMOS MUY CONMOCIONADOS POR EL GOLPE.

POR SUERTE, MIS COLEGAS APARECIERON JUSTO A TIEMPO PARA ECHARNOS UNA MANO.
HOLA, SR. BRUTO.
¿SABES QUE TU COCHE ESTÁ ARDIENDO Y ESTÁ TOTALMENTE DESTROZADO?
¡CHICOS, VUESTRAS AGUDAS CONSTATACIONES DE LO OBVIO HACEN QUE OS QUIERA CADA DÍA MÁS!
MENUDO TRUÑO. JO.
PUES SÍ, CHARLEY.
OYE, FRANKY, ¿SABES QUE DEBAJO DEL PARACHOQUES HAY MEDIO MERCERO?
¡NO ES ASUNTO TUYO, ZOMBIMBÉCIL!
¡NO HACÍA FALTA QUE ME LANZARAS ESE INSULTO RACISTA!
TIENE GRACIA CÓMO HA ACABADO TODO. LA BANDA DEL POPE SOLÍA ESTAR COMPUESTA POR BRUJAS, MONSTRUOS MERODEADORES Y UN AMASIJO DE ZOMBIMBÉCILES. Y AHORA TENGO A UN PAR DE MERODEADORES DE LA CIÉNAGA Y A UN ZOMBIMBÉCIL TRABAJANDO PARA MÍ. ME PREGUNTO SI SERÁ UNA SEÑAL ACERCA DE QUÉ NOS DEPARA EL FUTURO. O SEA, QUE VAMOS DE CULO Y CUESTA ABAJO.

PERO LOS FANGO SON MUY ÚTILES EN SITUACIONES DESESPERADAS.
Y NAGEL HA DEMOSTRADO QUE PUEDE LLEGAR A SER ÚTIL A VECES... A PESAR DE SER UN ZOMBIMBÉCIL. COMO EL OTRO DÍA, CUANDO NOS TOPAMOS CON LOS ZOMBIS DEL LAGO.
¡ES UNA TRAMPA! ¡LOS TENEMOS DETRÁS!
¡AHÍ LOS TENÉIS! ¡ID A POR ESOS CACHOS DE CARNE DE SANGRE CÁLIDA!
BLAM!
BLAM! BLAM! BLAM!
BAH. ESTOS TÍOS NO TIENEN PERSONALIDAD.
SÍ, AUNQUE CUESTA ACOSTUMBRARSE A NAGEL, ES BUEN TÍO.

¡EH, TÚ, VAGABUNDO, ALÉJATE Y LLÉVATE DE AQUÍ A ESA LAGARTIJA QUE TIENES POR MASCOTA! ¡ESTOY MUY OCUPADO Y NO TENGO TIEMPO QUE PERDER CONTIGO!

¡ÑAM, ÑAM! ¡CÓMETELO!

NORMALMENTE, NO ME ENTRETENDRÍA MUCHO CON ESTO, PERO COMO ME HAS CABREADO...

¡DIVIÉRTETE RESPIRANDO LODO, MERLUZO!

SÍ, LAS COSAS SE HAN VUELTO UN POCO RARAS DESDE QUE QUEMARON EL BAR DE NORTON Y LOS CAMBIANTES COMENZARON A APARECER. PERO TAMPOCO ESTÁN TAN MAL. FRANKY Y YO HEMOS MONTADO UN NEGOCIO EN LA PARTE TRASERA DE UNO DE MIS ALMACENES.

¿QUIÉN APUESTA POR EL CABEZÓN? ¡¿QUIÉN QUIERE APOSTAR POR EL CABEZÓN?!
ESOS CABRONCETES RABIOSOS SON "MANEJABLES" SI LOS PILLAS A SOLAS, SIEMPRE QUE TE ALEJES DE SUS DIENTES. SE NOS OCURRIÓ ESTA IDEA CUANDO VIMOS A UNO DE ELLOS PELEÁNDOSE CON UN CHUCHO POR UNA RATA MUERTA EN UN CALLEJÓN.

HASTA AHORA, HEMOS HECHO QUE EL CABEZÓN QUE CAPTURAMOS LUCHE CONTRA UNA CABRA, UNA ANACONDA, UN LINCE Y UN BORRACHO QUE ENCONTRAMOS CON LA CABEZA ENCAJADA EN UN CUBO DE PINTURA. FUE UN ESPECTÁCULO GENIAL. AUNQUE MENOS MAL QUE LLEVABA ESE BOTE EN LA CABEZA... CREO QUE ESO LE SALVÓ LOS OJOS.
PERO LA GRAN ATRACCIÓN HAN SIDO SUS COMBATES CON ESE CHIMPANCÉ REALMENTE CABREADO DE PIES DEFORMES QUE SE CAYÓ DE LA PARTE TRASERA DEL CAMIÓN DE UN PALETO SUREÑO.

¡FRANKY, ESE CHIMPANCÉ YA HA LUCHADO DOS VECES ESTA NOCHE!
¡YA, PERO ESTA VEZ LE HE ATADO UNAS BOTELLAS ROTAS A LAS MANOS Y UN PALO DE GOLF A LA CABEZA!
BIEN PENSADO.
SÍ, SON BUENOS TIEMPOS PARA TODOS.

AL MENOS, CUANDO ME DEDICABA A SACUDIR A ZOMBIMBÉCILES SABÍA QUÉ ESPERAR DE ELLOS, PERO CON LOS CAMBIANTES NUNCA SE SABE.

ADEMÁS, TOCAR A UNO DE ESTOS CABRONCETES ES COMO TOCAR ALGO HECHO DE CUERO VIEJO. ES MÁS DIFÍCIL RAJARLOS QUE A LOS ZOMBIMBÉCILES. MÁS DIFÍCIL... PERO NO IMPOSIBLE.
LA GRAN PUTADA ES QUE NUNCA SABES EN QUÉ SE VAN A CONVERTIR ESAS MALDITAS COSAS.

TE HAS LLEVADO ALGO QUE ME PERTENECE, Y QUE ME HA COSTADO MUCHO CONSEGUIR. DE HECHO, ES EL ÚLTIMO QUE QUEDA EN ESTA CIUDAD. Y VOY A RECUPERARLO.

VAMOS, GRANDULLÓN, ¿TE VAS A QUEDAR TODO EL DÍA QUIETO COMO UN PASMAROTE O VAMOS A PELEAR?

¡Felicidades Norton!
ES UN GRAN TRASTO CON CUATRO TUBOS DE ESCAPE DUALES QUE CHUPAN GASOFA QUE TE CAGAS, CON PISTONES ABOVEDADOS Y UN MOTOR QUE HACE QUE ESE MAMONAZO RUJA COMO SI FUERA A ARRANCAR EL ASFALTO A TROZOS. EL MUY TIENE UNA PRIMERA MARCHA ACOJONANTE EN CASO DE QUE HAGA FALTA ATROPELLAR CUALQUIER COSA. ADEMÁS, CUENTA CON UN PROTECTOR DE HIERRO ESPECIAL SOBRE LA REJILLA DEL RADIADOR PARA QUE NO LO JOROBEN LOS PICOS DE LOS CALAMARES. YO CREO QUE CON ESTE CARRO VAMOS A PODER FARDAR UN POCO EN ESTA CIUDAD.

¡VAMOS! ¡MUEVE EL CULO! ¡LA FIESTA EMPIEZA EN MEDIA HORA Y TIENES PINTA DE HABERTE PUESTO ROMÁNTICO CON UNA RATA DE ALCANTARILLA!
CON EL DINERO QUE GANAMOS GRACIAS A ESE CHIMPANCÉ DE PIES DEFORMES Y ESE BEBÉ RABIOSO CUYA CABEZA TIENE FORMA DE PATATA, PUDIMOS PERMITIRNOS EL LUJO DE COMPRARNOS UN NUEVO CARRO.
BUENO, DIME, ¿QUÉ TE PARECE?

PARECE
UN HOGAR.

PUB
FRANKY.
¿SÍ?
¿QUÉ ES UN TRUÑO?

EL AMO SE HA VUELTO LOCO.

SÍ, POBRE AMO, ESTÁ TREMENDAMENTE LOCO. CREÓ A ESOS PÉRFIDOS NIÑOS CUANDO PERDIÓ LA CABEZA. Y LE HE OÍDO SUSURRAR QUE VA A TENER QUE PAGAR POR ELLO. RAYOS, SÍ, LO VA A PAGAR MUY CARO.

"PERO, ¿ESO QUÉ QUIERE DECIR? SÍ, ¿QUÉ QUIERE DECIR? NO LO SÉ. PERO EL AMO ESTÁ ASUSTADO."

"EL AMO DICE QUE ALGUIEN VIENE A VERLO."

Eric
Powell
'07

ESTE ES RALPH. RALPH ES IDIOTA. UN TONTO DEL CULO. LO DIGO MUY EN SERIO, ES UN GILIPUERTAS INTEGRAL.
RALPH SE DIO CUENTA A LOS TREINTA AÑOS DE QUE SE LIMPIABA MAL EL CULO. SIEMPRE SE HABÍA PREGUNTADO POR QUÉ NO CONSEGUÍA QUITARSE LA MIERDA DE LAS UÑAS POR MUCHO PAPEL HIGIÉNICO QUE USARA.
CREÍA QUE EL RESTO DEL MUNDO VIVÍA ENGAÑADO AL CREER QUE EL PAPEL HIGIÉNICO SERVÍA PARA ALGO; ADEMÁS, CREÍA QUE EL CEPILLO DE DIENTES ERA LA HERRAMIENTA MULTIUSOS PERFECTA PARA EL BAÑO.
YA QUE SERVÍA TANTO PARA LIMPIARSE LOS DIENTES COMO PARA SACARTE LAS HECES DE DEBAJO DE LAS UÑAS. NO OBSTANTE, RALPH SUFRÍA ATAQUES DE DISENTERÍA CRÓNICA QUE LO DEJABAN BALDADO.
AUNQUE NUNCA SOSPECHÓ QUE ESO SE DEBIERA A QUE USABA UN CEPILLO LLENO DE CAGARRUTAS, SINO QUE ECHABA LA CULPA AL ESPÍRITU IRACUNDO DE UN PESCADERO MONGOL QUE CREÍA QUE HABITABA EN SUS TRIPAS.
RALPH ERA IMBÉCIL.
Y COMO ERA IMBÉCIL, CUANDO DOS MUJERES HERMOSAS MOSTRARON INTERÉS EN UN PALURDO COMO ÉL, NO PENSÓ QUE ALGO OLIERA A CHAMUSQUINA.
Nos vemos en el callejón de detrás del club.
Besos, Las chicas
P.D.: NO TE VAMOS A MATAR NI A DEVORAR TU CADÁVER.
¡TOMA, JEROMA! ¡ESTOY HECHO UN SEMENTAL! ¡SEÑORITAS, PREPÁRENSE PARA UNA NOCHE DE PLACER CON RALPH!

¡LAS MUJERES SERÁN TU RUINA! ¡YO TENÍA DOS JAMONES ANTES DE ENROLLARME CON ESA DIABLESA DE MANDÍBULAS DE HIERRO AFILADAS COMO CUCHILLAS Y UNAS LARGAS PANTORRILLAS RECUBIERTAS DE MIEL! ¡Y AHORA SOLO TENGO UN JAMÓN! ¡AH, Y ME FALTA UN BRAZO!

¡APÁRTATE DE MÍ, MANCO MALOLIENTE! ¡ESTOY A PUNTO DE DISFRUTAR DE MI PRIMER ÑACA ÑACA, Y LO ÚLTIMO QUE NECESITO ES QUE TU APESTOSO MUÑÓN QUE HUELE A JAMÓN ME VENGA A LA MENTE EN EL PEOR MOMENTO Y LO JOROBE TODO!

¡LAS CHAVALAS SON COMO UN CEPO CON JAMÓN COMO CEBO! ¡CREES QUE VAS A CONSEGUIR UN JAMÓN Y, DE REPENTE, ADIÓS BRAZO! ¡RECUERDA QUE ES MEJOR QUE USES EL PIE! ¡PÉGALE UNA PATADA AL JAMÓN, CHAVAL! **¡¡DALE UNA PATADA Y LIBÉRALO!!**

KNock!
KNock!

¡HOLA, SEÑORITAS! ¿CÓMO ES...?

AHHHHH!

AHHHHHHH!
¡CLARO! ¡AHORA GRITAS A PLENO PULMÓN, PERO YA VERÁS CÓMO CAMBIA TODO EN CUANTO TE ARRANQUEN EL BRAZO Y TE QUEDES CON SOLO UN VIEJO JAMÓN APESTOSO TRAS TANTO SUFRIMIENTO! ¡TE QUIERO, JAMÓN APESTOSO! ¡ESE BRAZO QUE PERDÍ NO SIGNIFICABA NADA PARA MÍ!

¡PERO ES TU HIJO, FRANKY! ¡¿CÓMO ES POSIBLE QUE NO QUIERAS A TU PROPIO HIJO?! ¡A ESTE BEBÉ QUE FUE ENGENDRADO EN MI VIENTRE POR EL PODER DEL AMOR!
¡ESA COSA NO ES MÍA! ¡PERO SI NI SIQUIERA ES HUMANA! ¡ES SOLO UN GATO AL QUE HAS VESTIDO CON UNOS GUANTES Y UN BABERO!
¡DATE EL PIRO, CHALADA! ¡¡NO PIENSO CARGAR CON EL MUERTO DE UN GATITO ILEGÍTIMO!!
YA TE DIJE QUE NO DEBÍAS ACOSTARTE CON LOCAS. LUEGO NO TE DEJAN EN PAZ.
CUANDO TE PONES TODO CACHONDO NO PIENSAS EN LAS CONSECUENCIAS.
TU PROBLEMA ES QUE SIEMPRE VAS DETRÁS DE LAS CHICAS QUE NO TE CONVIENEN. NO HAY QUE FIJARSE SOLO EN SI TIENEN UN BUEN PAR DE TETAS, ¿SABES?
¡TÓCATE LOS COJONES! CON EL HISTORIAL QUE TIENES EN LA MATERIA, ¿TÚ ME VAS A DAR CONSEJOS SOBRE MUJERES, COLEGA?
LO ÚNICO QUE DIGO ES QUE DEBERÍAS PROBAR ALGO DISTINTO.

¿QUÉ TE PARECE GILDA?

¿ESA MUJER CON PINTA DE MUERMO QUE TRABAJA EN EL COMEDOR DE BENEFICENCIA? ¡PREFIERO INTIMAR CON UN MAPACHE ANTES QUE ACOSTARME CON ESO!
ES BUENA CHICA. Y TIENE QUE SER MÁS LISTA QUE LAS MUJERES CON LAS QUE SUELES INTERCAMBIAR FLUIDOS.

UNA CABRA BORRACHA ES MÁS LISTA QUE ESAS GOLFAS, ¡PERO ESO NO QUIERE DECIR QUE QUIERA ACOSTARME CON UNA CABRA!

SEGURO QUE A GILDA LE ENCANTA QUE LA COMPARES CON UNA CABRA.
¿SR. BRUTO?

¿SÍ?
DISCULPE QUE LE MOLESTE PERO MI HIJO RALPH, YA SABE, EL IDIOTA, LLEVA DOS DÍAS DESAPARECIDO Y NO ES PROPIO DE ÉL QUE NO HAYA VUELTO A CASA EN TANTO TIEMPO.
SOBRE TODO, PORQUE SE FUE SIN SU CEPILLO DE DIENTES. A ESTAS ALTURAS, DEBE DE HABER SIDO OBJETO DE NUMEROSAS BURLAS. LO ÚLTIMO QUE SÉ ES QUE IBA AL CABARET. ¿PODRÍA AYUDARME A ENCONTRARLO, POR FAVOR?
¡OH, SANTO DIOS! PERO, ¿QUIÉN SE HA CREÍDO QUE SOY? ¿EL JEFE DEL SERVICIO DE OBJETOS PERDIDOS?
OYE, RECUERDA QUE RALPH NOS DEBE DOSCIENTOS PAVOS. LA SEMANA PASADA, APOSTÓ QUE ERA CAPAZ DE DISTINGUIR, CON LOS OJOS VENDADOS, UNA PASA DE UNA GARRAPATA POR SU SABOR.
ASEGURÓ TODO EL RATO QUE LE ESTÁBAMOS DANDO PASAS CUANDO EN NINGÚN MOMENTO LO HICIMOS. SOLO LE DIMOS GARRAPATAS. MENUDO TONTO DEL CULO.
¿DOSCIENTOS?
AHORA MISMO VAMOS A BUSCAR A SU HIJO, SEÑORA.
¡NO SÉ QUÉ TIENES EN CONTRA DE LAS TÍAS BUENORRAS!
NO TENGO NADA EN SU CONTRA. AUNQUE HE EXPERIMENTADO EN MIS PROPIAS CARNES QUE LAS CHAVALAS MACIZAS TIENDEN A SER UNAS HISTÉRICAS EGOCÉNTRICAS CON LAS QUE NO MERECE LA PENA PERDER EL TIEMPO, YA QUE TRAS ESA BONITA FACHADA NO HAY NADA.
BUENO, PARA ALGUIEN QUE CREE QUE PERSEGUIR A UNA CHICA BONITA ES PERDER EL TIEMPO, HAS PASADO MUCHO OBSESIONADO CON UNA EN CONCRETO.
YO NO PIERDO EL TIEMPO. SIMPLEMENTE, SÉ LO QUE QUIERO.
¡YO TAMBIÉN SÉ LO QUE QUIERO! ¡UNA MACIZA CON UN BUEN TRASERO!

ESE ES TU PROBLEMA. CREES QUE LA FELICIDAD PUEDE HALLARSE EN UN BUEN CULO.
¡QUIERO QUE REFLEXIONES SOBRE LO QUE ACABAS DE DECIR!
¡PIÉNSALO BIEN!
SI NO PUEDO HALLAR LA FELICIDAD EN LAS POSADERAS PERFECTAMENTE ESCULPIDAS DE UNA DAMA... ¡BUENO, NO SÉ QUÉ HACEMOS EN ESTE MUNDO!
MADAME ELSA CABARET
HUM, QUIZÁ, DESDE EL PUNTO DE VISTA DE TU RETORCIDA, SIMPLONA Y PERVERSA MENTE, TENGAS RAZÓN A TU MANERA.

HÉ BIEN, REGARDE QUI NOUS REND VISITE! CE MALOTRU DE BRUTO ET SON CRÉTIN DE COPAIN FRANKY!

¡NUNCA SÉ QUÉ LECHES ESTÁ DICIENDO ESA SEÑORITA, PERO ME DA QUE NO SON PIROPOS PRECISAMENTE!
MI FRANCÉS ESTÁ UN POCO OXIDADO, PERO ESTOY BASTANTE SEGURO DE QUE HA DICHO QUE ESE GORILA QUE LLEVA ATADO CON UNA CORREA ES SU MADRE Y ELLA EN REALIDAD ES UN TRAVESTI QUE TIENE UN GIGANTESCO Y PELUDO...

¡GAH!

¡MIRA, UNA SIMIA EN TRICICLO!

TU GORILA SE HA CAÍDO, ELSA.

QUEL BOUFFON! IL EST LOIN DE SE DOUTER DE CE QU'ON POURRAIT LUI FAIRE!

NO VEO A RALPH.
AHÍ ESTÁ JIMMY. PREGUNTÉMOSLE SI LE HA VISTO.

HOLA, JIMMY. ¿HAS VISTO A RALPH? ¿JIMMY?

¡AHHHH!

¡ERAN ELLAS! ¡LAS MALIGNAS MUJERES PÁJARO HAN VUELTO DE LA TUMBA!
NO ERAN ELLAS. DESTROZAMOS SU JOYA MÁGICA, SE TRANSFORMARON EN HUMO Y EL VIENTO SE LAS LLEVÓ.

¡ERAN ELLAS! ¡¿ACASO CREES QUE PODRÍA OLVIDARLAS?!

NO ERAN ELLAS.
¡LAS CONOZCO AL MILÍMETRO! ¡DURANTE LAS HORAS QUE ME TUVIERON ATADO, ME TORTURARON HORRIBLEMENTE!

¡NO PARABAN DE DAR VUELTAS DELANTE DE MÍ MIENTRAS EXHIBÍAN SUS CUERPOS SEMIDESNUDOS!

¡Y NO PODÍA TOCARLAS! ¡ME PROVOCABAN SIN PARAR! ¡FUE **HORRIBLE**!

¡¿ACASO CREES QUE ME EQUIVOCO?! ¡¿ACASO CREES QUE ME EQUIVOCO?!

¡PUES SON ELLAS! ¡SON ELLAS!

¡YAWN!
¡LO SÉ PORQUE, AUNQUE PARECEN UNAS SEÑORITAS MÁS BUENAS QUE EL QUESO, SON EN REALIDAD UNAS DIABLESAS MALÉVOLAS QUE SE DEDICAN A AGITAR SUS ENCANTOS DELANTE DE NUESTRAS NARICES PARA PROVOCAR A POBRES DESGRACIADOS COMO YO Y LUEGO, CUANDO MENOS TE LO ESPERAS, SE CONVIERTEN EN UNOS PÁJAROS MONSTRUOSOS! ¡SI LO SABRÉ YO!

SÉ QUE ERAN ELLAS, FRANKY. PERO PENSÉ QUE SERÍA GRACIOSO VERTE ASÍ DE ENCABRONADO.

QUE... TÚ... SABÍAS... ¡GRK! ¡KIGT! ERES UN... ¡¡MISERA-BLE!!

VAMOS A ECHAR UN VISTAZO A ESE CABARET ANTES DE QUE ABRA SUS PUERTAS. NO ME GUSTA LA IDEA DE QUE ESA FRANCESITA CUENTE CON UN PAR DE ARPÍAS ASESINAS A SU DISPOSICIÓN.

SÍ. SON ELLAS, NO HAY DUDA. AHÍ ESTÁ EL CADÁVER DE ESE MAGO, DE...
...TEMBLOR DE ENTIDAD.
¡ME DUELE! ¡MATADME!
¡AH!
SLAP!
¡AY! ¿POR QUÉ ME HAS GOLPEADO? ¡COMO SI NO SUFRIERA YA BASTANTE!
ESAS DIABLESAS Y TÚ, ¿CÓMO HABÉIS LOGRADO VOLVER DE LA MUERTE? ¡CREÍA QUE HABÍAN PALMADO CUANDO DESTRUIMOS AQUEL CRISTAL!
¡CON ESO SOLO LOGRASTEIS IMPEDIR QUE PUDIERAN ADOPTAR UNA APARIENCIA HUMANA! ADEMÁS, LOGRARON RECONSTRUIR EL AMULETO... ¡CON PEGAMENTO!

¡¡CON PEGAMENTO!!

¡HUMF! ¡CREÍA QUE LA MAGIA REQUERÍA DE RITOS UN POCO MÁS COMPLEJOS!
LO CUAL DEMUESTRA QUE NADA ES TAN COMPLICADO COMO PARECE.

¡PERO AHORA YA NO NECESITAN EL AMULETO! ¡CUENTAN CON UN NUEVO PODER QUE LAS ALIMENTA Y QUE UTILIZAN PARA MANTE-NERME VIVO Y TORTURARME! ¡OH, INCLUSO PUEDO SENTIR CÓMO SE PUDRE MI CUERPO! ¡SUFRO MUCHÍSIMO! ¡MATADME!
ESTO ME DA MALA ESPINA.
¿QUÉ HACEMOS?
¡EH, HE DICHO QUE ME MATÉIS! ¡NO OS HAGÁIS LOS OREJAS, QUE SÉ QUE ME HABÉIS ESCUCHADO!

¡SUFRO MUCHÍSIMO! ¿VALE? ¡AY!
¡VAMOS!

¡TE TENGO!

¡ASÍ... NO ME... AYUDAS!

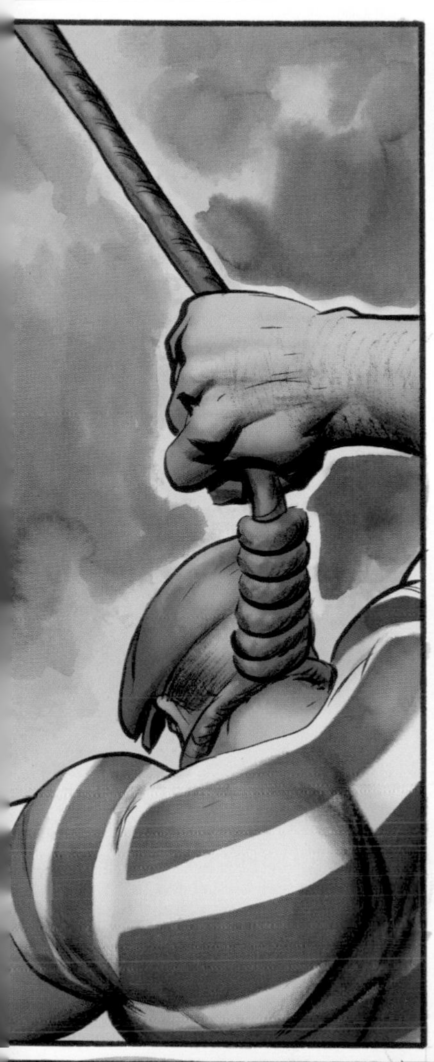

THUD!

¡COF! ¡COF!
¡ESAS PAJARRACAS ME LAS VAN A PAGAR!

LO SIENTO, SEÑORA, SU ESTÚPIDO HIJO HA MUERTO. UNAS PÁJARAS DE CUIDADO SE LO HAN COMIDO.

¡OH, DIOS MÍO! ¡NO, MI HIJO NO! ¡BUAA-AAAA!
¡¿POR QUÉ LLORA?! ¡PERO SI ERA UN TONTOLABA DE ESCÁNDALO! ¡¡NO ME DIGA QUE PARA USTED EL HECHO DE NO TENER QUE CARGAR MÁS CON UN HIJO TAN REMATADAMENTE ESTÚPIDO ES UNA PUÑETERA TRAGEDIA!!

BUENO, EN ESO TIENE RAZÓN. AL MENOS, YA NO ME TENDRÉ QUE PREOCUPAR DE QUE CUANDO ME DESPIERTE, MI CEPILLO DE DIENTES ESTÉ TODO MARRÓN.

SI ESTA HISTORIA FUERA UNA COMEDIA PARA ADOLESCENTES DE LOS AÑOS OCHENTA, ARAÑA HABRÍA SOMETIDO A UNA SESIÓN DE "CHAPA Y PINTURA" A LA POCO AGRACIADA GILDA Y, ACTO SEGUIDO, ELLA Y FRANKY SE HABRÍAN ENAMORADO LOCAMENTE EL UNO DEL OTRO MIENTRAS *TEARS FOR FEARS* O LOS *PSYCHEDELIC FURS* O ALGUNA OTRA [illegible] DE GRUPO SONABA DE FONDO. PERO, MIRAD, YO NO ESCRIBO ESE TIPO DE HISTORIAS. AUNQUE SI QUERÉIS IMAGINAROS QUE ESTA HISTORIA ACABA ASÍ, ME PARECE BIEN. PERO YO ME LA IMAGINO ACABANDO CON UN FRANKY PERDIENDO LA CABEZA POR UNA MUJER PEZ ELÉCTRICA PROCEDENTE DEL ESPACIO DESPUÉS DE QUE DESCUBRA QUE GILDA ES SU HERMANA HERMAFRODITA A LA QUE HABÍA PERDIDO LA PISTA HACE MUCHO TIEMPO (NO OBSTANTE, SE HABRÍAN ACOSTADO ANTES DE QUE FRANKY LO SUPIERA). ES UN ARGUMENTO MUCHO MEJOR QUE EL DE *LA CHICA DE ROSA*.

-ERIC POWELL

Eric
Powell

CALLEJÓN
SOLITARIO

ES HORA DE IRSE Y NO MIRAR ATRÁS, DE DAR CON UNA NUEVA CIUDAD DONDE EMPEZAR DE CERO. DONDE NO ME ENCUENTREN. SÍ, YA ESTÁ TODO.
NO LO ENTIENDO. LLEVA HORAS FARFULLANDO COSAS SIN SENTIDO. ¿QUIÉN NO QUIERE QUE LE ENCUENTRE? ¿ADÓNDE QUIERE IR?

¡ME LARGO, IDIOTA! ¡A VER SI TE ENTERAS!

BOOM!
BOOM!
BOOM!

NO - ABRAS ESA PUERTA.

BOOM!

HOLA, POPE.

HOLA, POPE.

¡YIJAAA!
¡SIGAMOS EL CAMINO DE LAS GOMINOLAS QUE LLEVA A LA MONTAÑA DE LOS DULCES, FRANKY!
¡TE QUIERO, CABALLITO DE FELPA!

RAWR!
¡HOLA, SR. OSO!

AAH
CHOMP!

RRRRRRIP!

GRAH!

AAAH
AAH

¿QUÉ TE PASA, CHAVAL? ¿ESTABAS SOÑANDO CON QUE TU PADRE ESTABA DEPILÁNDOSE LAS PIERNAS EN UNA BAÑERA CON FORMA DE ALMEJA MIENTRAS UNA MUJER ENORME DE PELO ROSA TOCABA UNA GUITARRITA VESTIDA DE VAQUERA Y SE REÍA TONTA Y DEMENTEMENTE? ¡ODIO ESA PESADILLA!

¡NAGEL! ¿QUÉ HACES AQUÍ?

EL BRUTO ME DIJO QUE ME QUEDARA AQUÍ PARA ASEGURARME DE QUE NO VAS A SALIR DE ESTA HABITACIÓN MIENTRAS ÉL SE DEDICA A VOLAR POR LOS AIRES EL CABARET. ENTRETANTO, ¡ME ENTRETENGO HACIENDO PASTEL DE COCO!
¡Y TODO PORQUE UN DÍA LE HICE UNA BROMA PESADA A UN CIEGO CON UN CARTUCHO DE DINAMITA! ¡¡PERO SI LIMPIÉ TODOS LOS RESTOS QUE QUEDARON PEGADOS A LAS VENTANAS!! EN FIN, ¡UNA VEZ MATÉ UN PERRO Y ME LLAMAN MATAPERROS!

PUES AHORA DEBERÍAS IR PENSANDO EN LIMPIAR EL ESTROPICIO QUE HA DEJADO ESE CADÁVER DE CABALLO ANTES DE QUE APESTE TODA LA HABITACIÓN.

¡AAH!

ALGÚN DÍA, OSO... ¡ALGÚN DÍA, TE DARÉ TU MERECIDO!

¡BUENOS DÍAS, BRUTO! ¿QUÉ HACES?
LLEVO ESTA DINAMITA AL CABARET. VOY A VOLARLO.
VALE. ¡DIVIÉRTETE!
DYNOM

JUSTO ANOCHE ESTUVE PENSANDO EN QUE HACÍA MUCHO QUE NO ESTALLABA NADA POR LOS AIRES EN ESTA CIUDAD.
PUES SÍ, ALGO DEBERÍA EXPLOTAR A LO GRANDE.

¡LO HE VISTO! ¡LO HE VISTO! ¡ESTABA MORDISQUEANDO A UN PERRO MUERTO DETRÁS DEL TENDEDERO DONDE CUELGA LA ROPA DE MI MADRE!
¡OOH, QUÉ TONTERÍAS DICES, MARIQUITA!
¡LO JURO! ¡COMPROBADLO VOSOTROS MISMOS!

¡SEÑOR BRUTO! ¡TIENE QUE VER ESTO! ¡ES EL TRAVESTI MÁS GRANDE QUE HE VISTO JAMÁS!

¡NO PUEDO! ¡VOY A VOLAR EL CABARET POR LOS AIRES!
PERO... PERO SI ES UN... ¡¡TRAVESTI GIGANTESCO!!
DYNOMITE

¡MIERDA!

DYNOMITE

¡ESA COSA ES ENORME!
¡MIRAD EL TAMAÑO DE ESOS PANTIS QUE LLEVA!
PUES SÍ, ES UN TRAVESTI GRANDE DE COJONES.

GWAH!
RAGAHR! RAHR!

¡ATRÁS, CHAVALES! ¡ESA COSA ESTÁ RABIOSA!

ATTICUS, SERÁ TODO UN HONOR PARA MÍ QUE LO ABATA USTED.
TATE, SABE QUE YA NO DISPARO A TRAVESTIS.
¡POR FAVOR, ATTICUS! ¡DISPÁRELE!

OH, VALE.

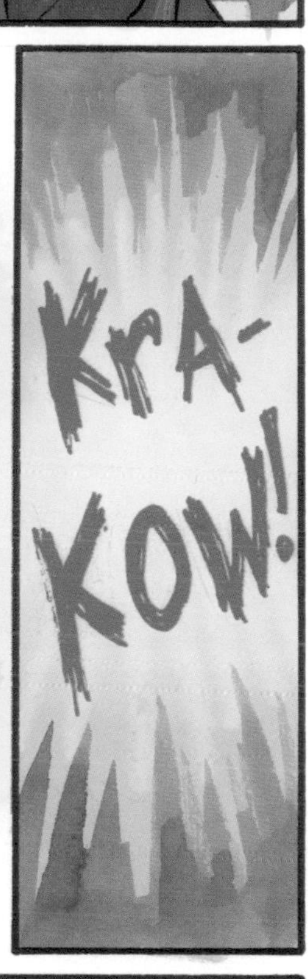
KRA-KOW!

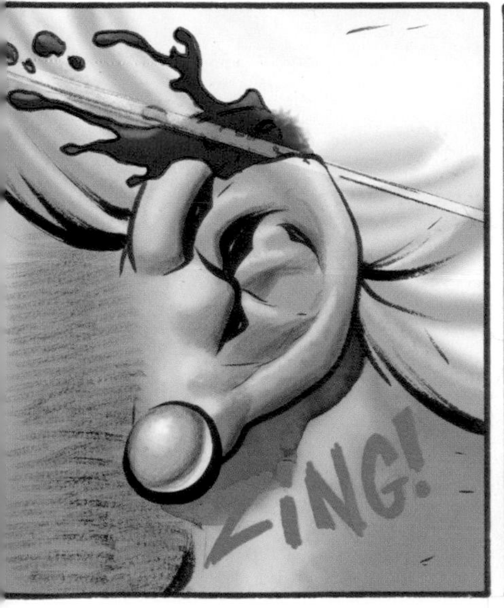
ZING!

GRRRRRR!

¡SOLO LO HA ROZADO!
¡YA LE DIJE QUE NO QUERÍA HACERLO!

¡CUIDADO! ¡NOS EMBISTE!

¡QUÉ RARO! ¡¿CÓMO ES QUE SIEMPRE ACABO SIENDO EL ÚNICO QUE SE QUEDA PARA LUCHAR CONTRA EL TRAVESTI?!

DYNOMITE

¡AHH! ¡ASÍ ESTOY ESPANTOSA!

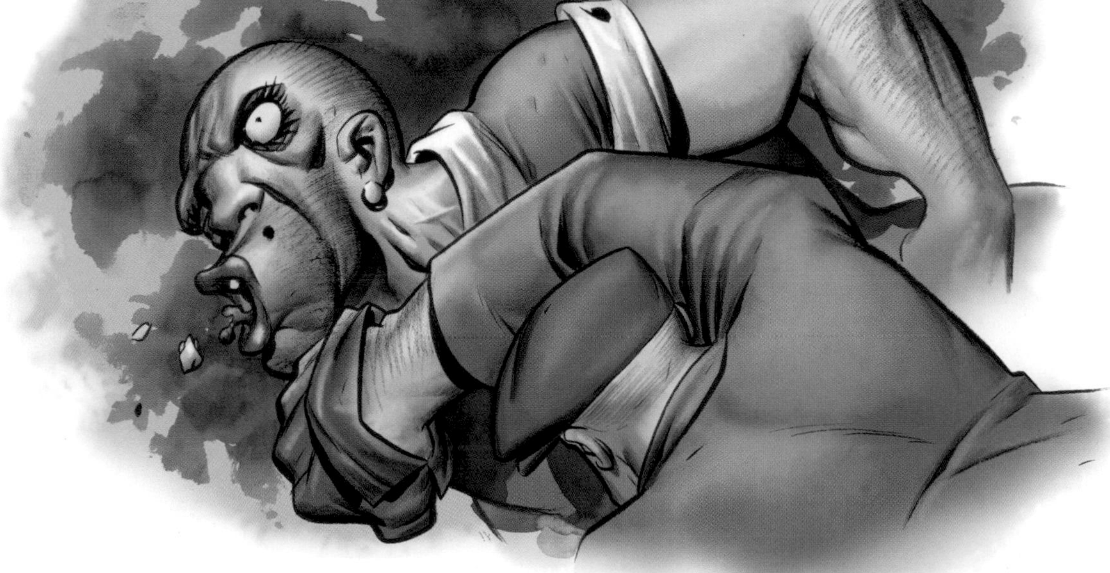

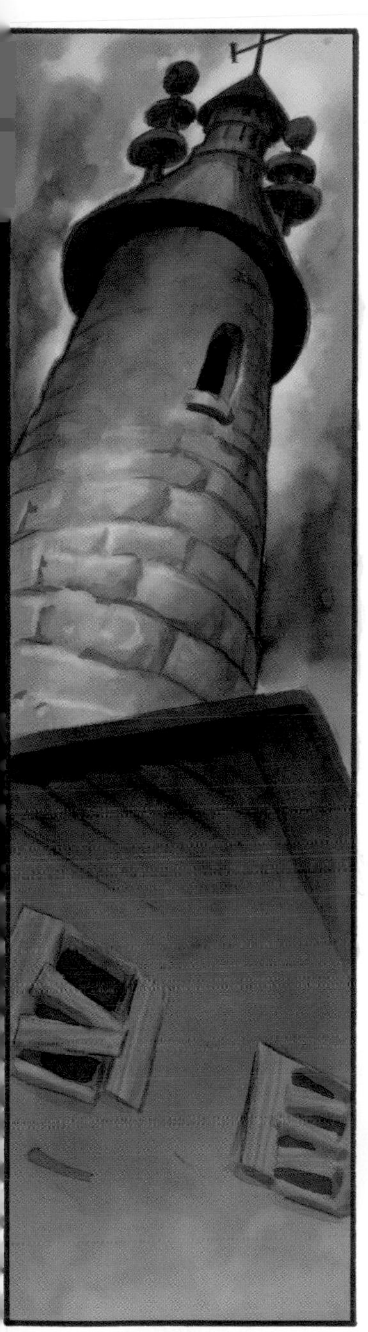

MI AMO DICE QUE TU AMO SE HA VUELTO LOCO, GATO.
MI AMO ES UN POBRE DESGRACIADO AL QUE NADIE COMPRENDE, MONO.

NO, ESTÁ MALDITO, GATO.

RECUERDO LO IMPETUOSO Y ARROGANTE QUE SOLÍAS SER. TE DABAS TANTA IMPORTANCIA. TE MOSTRABAS TAN ORGULLOSO. HASTA QUE ESE HUMANO TE HIZO CAER EN DESGRACIA HACE MUCHO, MUCHO TIEMPO. DESDE ENTONCES, NO HAS TENIDO MUCHO DE LO QUE ENORGULLECERTE, ¿VERDAD?

"NO SÉ CÓMO PUDISTE DEJAR QUE UN HUMANO DESCUBRIERA TU NOMBRE SECRETO Y TE HUMILLARA. NO SÉ CÓMO PUDISTE PERMITIR QUE ESE *SHERIFF* SE VOLVIERA INMORTAL. Y AHORA... TE HAS ATREVIDO A VALERTE DEL HIJO NO NATO DE ESA MUERTA PARA ENGENDRAR A ESAS ESPANTOSAS CRIATURAS. ¡UN NIÑO NO NACIDO! ¡NI SIQUIERA LOS NUESTROS SE ATREVEN A JUGAR CON ESA CLASE DE MAGIA! ¡CON UNA MADRE Y UN NIÑO NO NACIDO QUE MURIERON A LA VEZ!"

¡¡SABES QUE ESTÁ PROHIBIDO!! ¡¡SABES QUE TENDRÁS QUE PAGAR UN ALTO PRECIO POR ELLO!!
¡CALLA! ¡CALLA! ¡CALLA! ¡CALLA!

AH, ¿TE HAS CANSADO DE OÍRME HABLAR? POR LO QUE VEO, AÚN LLEVAS LA CARA DE JINOFRI COMO UN TROFEO EN TU SOMBRERO. TAL VEZ PREFIERAS ESCUCHARLO A ÉL.

DESPIERTA, JINOFRI.

¡PUERCO ASQUEROSO! ¡CERDO! ¡ME LO ROBASTE! ¡NO ERAS NADIE! ¡NADIE! ¡TODO EL MUNDO LO SABE!
¡BASTA!

DUERME, JINOFRI.

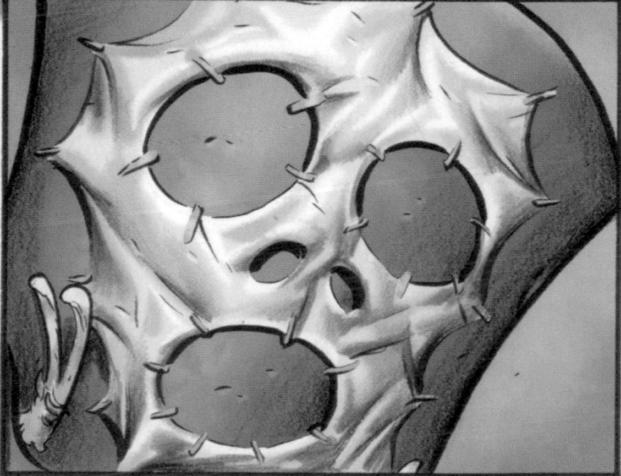

COMO TIENES MUCHOS PECADOS POR LOS QUE RESPONDER, EL RESTO DE HERMANOS Y YO HEMOS CONSIDERADO LA POSIBILIDAD DE DEVOLVERTE A LA FOSA.
¡NO! ¡POR FAVOR! ¡HARÉ LO QUE QUERÁIS! ¡APIÁDATE DE MÍ! ¡SÉ MISERICORDIOSO CONMIGO, HERMANO! ¡DILES QUE NO ME HAS ENCONTRADO! ¡HUIRÉ MUY LEJOS Y DESAPARECERÉ DE LA FAZ DE LA TIERRA! ¡NADIE ME VOLVERÁ A VER JAMÁS! ¡PERO A LA FOSA OTRA VEZ NO! ¡POR FAVOR!
YA SABES QUE LOS NUESTROS NO SABEN QUÉ ES LA PIEDAD. TE MERECES SUFRIR MIL AÑOS DE TORMENTO, NI MÁS NI MENOS.
SIN EMBARGO, HAY UNA RAZÓN PARA CONCEDERTE EL INDULTO.
QUE, AL FIN Y AL CABO, NOS HAS TRAÍDO HASTA AQUÍ.
ME IMAGINO QUE LA EMOCIÓN TE EMBARGÓ CUANDO TE TOPASTE CON ESTA CIUDAD QUE REZUMA MISERIA. EL MAL IMPREGNA LAS PIEDRAS DE TODAS SUS CALLES. NUNCA ANTES HABÍA ENCONTRADO UN LUGAR ASÍ, DONDE HUBIERA ACUMULADO TANTO PODER.
ESTA CIUDAD ATRAE A LAS TINIEBLAS, A LAS CRIATURAS Y ESPÍRITUS DE LA OSCURIDAD. LAS VIDAS DE TODOS LOS QUE MORAN EN ELLA ESTÁN REPLETAS DE CALAMIDADES Y TRISTEZAS. ES ALGO GLORIOSO. OH, AQUÍ PODRÍAMOS ALCANZAR LAS MÁS ALTAS COTAS DE LA RUINDAD.
NO OBSTANTE, A PESAR DE QUE DEJASTE DE VAGABUNDEAR Y TE ASENTASTE EN ESTE LUGAR, NUNCA HAS ESTADO DISPUESTO A COMPARTIR ESTE DESCUBRIMIENTO CON NOSOTROS, ¿VERDAD?
¿POR QUÉ DEBERÍA HABERLO HECHO? ¡HABÍA CAÍDO EN DESGRACIA! ADEMÁS, ¡ESTE LUGAR ERA MÍO! ¡YO LO ENCONTRÉ!

PUES YA NO LO ES. RESULTA OBVIO QUE HAS SIDO INCAPAZ DE APROVECHAR ESTE TESORO COMO ES DEBIDO. TUS RECIENTES ENFRENTAMIENTOS CON ESE MATÓN CALLEJERO QUE HA FRUSTRADO SIEMPRE TUS PLANES SON UNA BUENA MUESTRA DE ELLO.
HEMOS DADO CON ALGUIEN QUE SE ENCARGARÁ DE SOLVENTAR ESTE PROBLEMA. ALGUIEN QUE SERÁ NUESTRO REPRESENTANTE EN ESTE LUGAR. NUESTRO NUEVO HERALDO EN EL MUNDO MORTAL, ANTE QUIEN DEBERÁS RESPONDER.

¡YO NO RESPONDO ANTE NADIE!

¿PREFIERES ACABAR EN LA FOSA?

ESO PENSABA YO.

SIN EMBARGO, AÚN TIENES QUE PAGAR POR LO QUE HAS HECHO. Y, ADEMÁS, MI AGENTE REQUIERE TU AYUDA.

¡SERÁ MEJOR QUE NO TE LEVANTES, TRAVESTI DESCOMUNAL!

¡EH! ¡EH, CHAVALES! ¡DEJAD ESA DINAMITA EN PAZ!

DYNOMITE

¡SI QUERÉIS DINAMITA, TENDRÉIS QUE COMPRARLA COMO TODO EL MUNDO!
DYNOMITE

¡OH, MIERDA!

¡AAH, UN ZOMBI!

¡BRUTO, HAY UN ZOMBI EN EL CALLEJÓN! ¡HA INTENTADO ENTRAR POR LA VENTANA!
SI SE TRATABA DE UN ZOMBIMBÉCIL QUE LLEVABA UNA MARGARITA SOBRE UN BOMBÍN Y HA INTENTADO VENDERTE UN RELOJ MUY BARATO, NO TE PREOCUPES, ERA WILLIE NAGEL.
¡NO, TENÍA EL PELO LARGO Y MUY NEGRO, Y HA INTENTADO ENTRAR POR LA VENTANA! ¡VE A ECHAR UN VISTAZO!

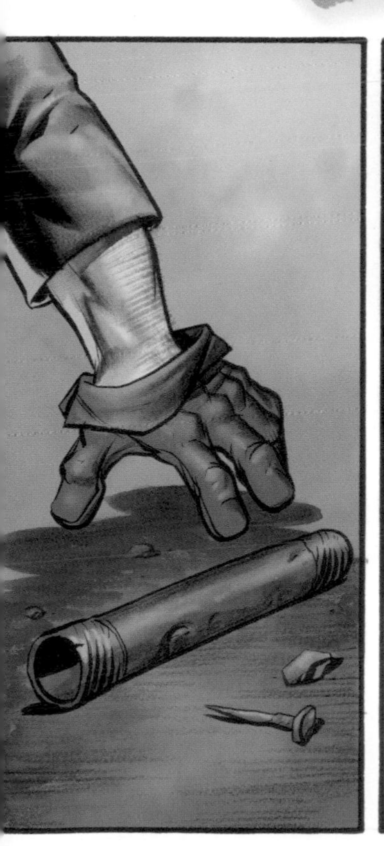

¿STEVE EL APESTOSO?

GAH

OH, JODER, STEVE.

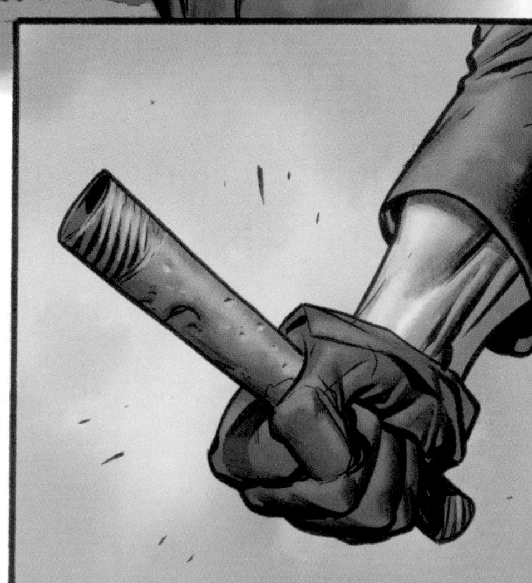

Y ENTONCES LE DIGO A ESA VIEJA: "¡EH, QUE JESÚS ME AMA! ¡¿ACASO TE CREES MEJOR QUE JESÚS?!". AUN ASÍ, SIGUIÓ GOLPEÁNDOME CON SU CACHAVA.
LAS MUJERES SON UN MISTERIO, HIJO.

SHZZZZZZZZZ!
¡BEEEEEE!

NAGEL, ¡¿QUÉ ESTÁS HACIENDO?!

SHove!

DIME UNA COSA, NAGEL. HACE TIEMPO QUE ME PREGUNTO CÓMO ES POSIBLE QUE LA MAYORÍA DE LOS ZOMBIMBÉCILES TENGAN UN ENCEFALOGRAMA TAN PLANO. YA SABES, VAN DE AQUÍ PARA ALLÁ GRUÑENDO SIN MÁS. SIN EMBARGO, ALGUNOS DE VOSOTROS CONSERVÁIS INTACTA VUESTRA INTELIGENCIA.
A DECIR VERDAD, NO SÉ POR QUÉ ESO ES ASÍ A CIENCIA CIERTA. PERO TENGO MIS SOSPECHAS.

MIRA, LA MAYORÍA DE LA GENTE VIVE LA VIDA COMO SI YA FUERAN UNOS ZOMBIS. SIGUEN AL REBAÑO, SIN MÁS. HACEN LO MISMO QUE TODOS LOS DEMÁS. ACTÚAN COMO SE ESPERA QUE ACTÚEN. PERO ALGUNOS DE ELLOS TIENEN CIERTA PERSONALIDAD. YO TENÍA UNA PERSONALIDAD ARROLLADORA.

AHH
"HICE MI PROPIO CAMINO AL ANDAR. HICE TODO CUANTO QUISE CUANDO QUISE. FUI UN HOMBRE LIBRE. PARA MÍ NO HABÍA NADA MÁS ATERRADOR QUE SER OTRO PALURDO MÁS EN UN MUNDO DE PALURDOS."

"SUPONGO QUE CUANDO REGRESAS DE ENTRE LOS MUERTOS, PASAS A SER UN TIPO DE ZOMBI U OTRO DEPENDIENDO DE QUÉ CLASE DE PERSONA FUERAS."
AAAAAAAHH!

Eric Powell '07

¡PARA! ¡POR FAVOR! ¡PARA!

¡CIERRA EL PICO Y DEJA DE QUEJARTE, ASQUEROSO MARICA CIEGO!

WHAP! WHAP! WHAP!

WHAP! WHAP! WHAP!

WHAP! WHAP! WHAP! WHAP!

¿CÓMO VOY A HACER DE TI UN SACO DE BOXEO COMO ES DEBIDO SI TE ESTÁS RETORCIENDO TODO EL RATO EN EL SUELO?

¿NO SABES QUE LOS SACOS DE BOXEO SUELEN COLGARSE DEL TECHO?

Ack!

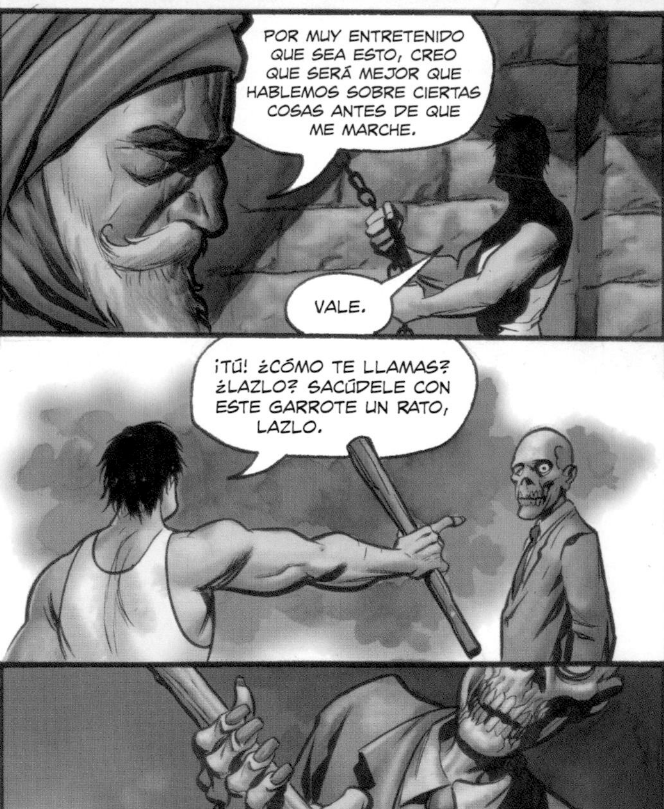
POR MUY ENTRETENIDO QUE SEA ESTO, CREO QUE SERÁ MEJOR QUE HABLEMOS SOBRE CIERTAS COSAS ANTES DE QUE ME MARCHE.
VALE.
¡TÚ! ¿CÓMO TE LLAMAS? ¿LAZLO? SACÚDELE CON ESTE GARROTE UN RATO, LAZLO.
SERÁ UN PLACER, SEÑOR.

THWAP! THWAP! THWAP! THWAP!
VAYAMOS POR ORDEN. PRIMERO, HAY QUE ACABAR CON ESE MATÓN AL QUE LLAMAN EL BRUTO.
MANTIENE UNA RELACIÓN BASTANTE ESTRECHA CON UNA MUJER QUE DESCIENDE DE UNA TRIBU GITANA CON CIERTOS CONOCIMIENTOS DE HECHICERÍA, Y QUE QUIZÁ SEA CAPAZ DE INFORMARLO DE NUESTRAS ACTIVIDADES.
MI CONSEJO ES QUE TE DESHAGAS PRIMERO DE ELLA. CUANTO MENOS SEPA EL BRUTO SOBRE NOSOTROS, MEJOR. LUEGO, YA PODRÁS HACER LO QUE TENGAS QUE HACER.
SI NECESITAS INFORMACIÓN O AYUDA, EL POPE TE SERÁ DE GRAN UTILIDAD. DUDO MUCHO QUE TENGAS ALGÚN PROBLEMA A LA HORA DE AMANSARLO.
TARDARÉ BASTANTE TIEMPO EN VOLVER, PUESTO QUE SOMOS POCOS Y ESTAMOS MUY DISPERSOS. ¿SERÁS CAPAZ DE IMPONER EL ORDEN EN ESTE LUGAR?
SÍ.
OH, ESTE PERRITO Y YO VAMOS A SER GRANDES AMIGOS, ¿VERDAD, CHUCHO?

BLARGH

¿QUÉ TE PASA?
BLARGH!

NAGEL HA HECHO TARTA DE COCO, Y SE ME HA OCURRIDO PROBARLA. CREO QUE ME HE PUESTO MALO.

¿Y A TI QUÉ TE PASA?

ACABO DE CARGARME A STEVE EL APESTOSO.
¡¿QUÉ?!
SE HABÍA CONVERTIDO EN UN ZOMBIMBÉCIL. CUANDO ME LO ENCONTRÉ, SE ESTABA COMIENDO UN GATO.

MIERDA.

BUENO, AL MENOS HABRÁS VOLADO EL CABARET, ¿NO?
EH, NO. UN TRAVESTI GIGANTE ME ENTRETUVO Y UNOS CRÍOS ME ROBARON LA DINAMITA CUANDO ESTABA DISTRAÍDO.

DE TODOS MODOS, A VER SI LO HE ENTENDIDO BIEN... ¿UN TÍO MUERTO PREPARA UNA TARTA DE COCO Y VAS TÚ Y TE LA COMES?
DEBERÍAS PREGUNTARTE CUÁNTO TIENE DE COCO Y CUÁNTO NO ES MÁS QUE UN MONTÓN DE UÑAS Y TROZOS DE PIEL MUERTA.

BLARGH!

SCREEEEETCH!

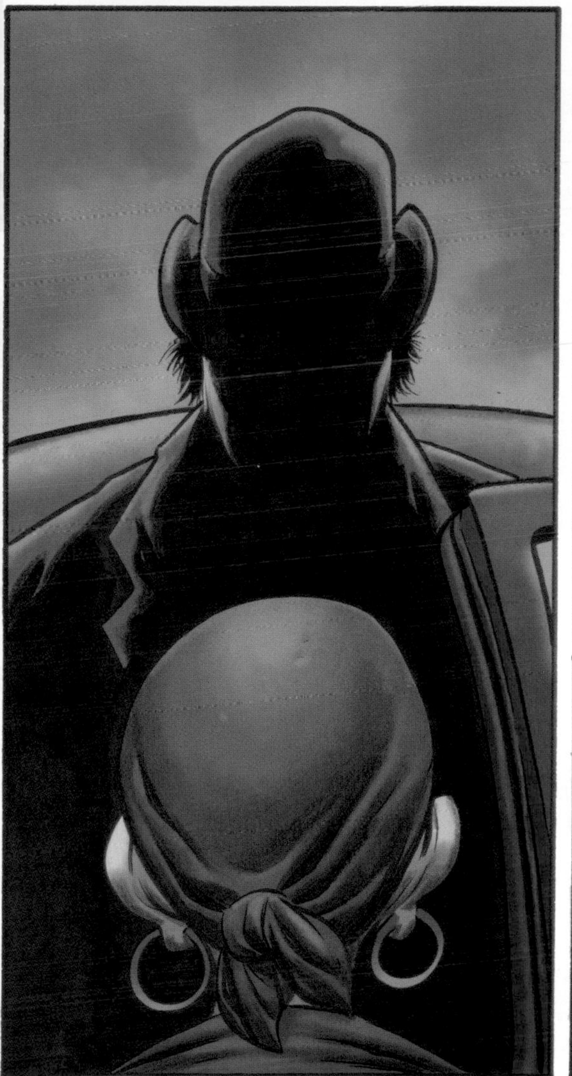

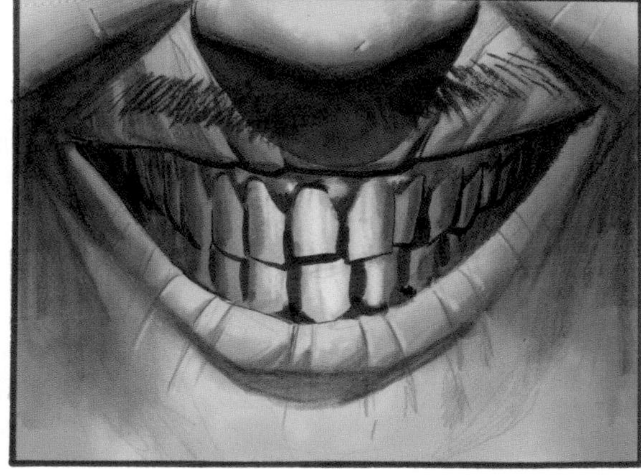

BUENO, CUANDO CONSIGAS MÁS DINAMITA, ¿PODRÉ AYUDARTE A VOLAR EL CABARET?
NO.
¡VENGA YA! ¿POR QUÉ NO...?
NO.
PERO SI...
NO.
HOLA, ROXANNE. ¿ADÓNDE VAS TAN DEPRISA, GUAPETONA?
YO VOY A LA PELUQUERÍA, PUERCO ASQUEROSO... ¡Y TÚ PUEDES IRTE A LA MIERDA!
YO SÍ QUE TE CORTARÍA EL PELO DE DONDE YO ME SÉ A BOCADOS...
¿POR QUÉ SIEMPRE TIENES QUE METER ALGUNA INSINUACIÓN SEXUAL EN CUALQUIER CONVERSACIÓN?
SIEMPRE ESTÁS CON LO MISMO. QUE SI TE VOY A PONER MIRANDO PARA CUENCA. QUE SI TE VOY A METER TODO LO GORDO. QUE SI TE VOY A AFEITAR EL CONEJO A BOCADOS.
NO RECUERDO HABER DICHO ESO NUNCA. JAMÁS HE AFEITADO UN CONEJO, AUNQUE SÍ HE AFEITADO UNA ARDILLA.
LO QUE PASA ES QUE LAS ARDILLAS... NO SON MUY MONAS CUANDO SE AFEITAN. SI LES RAPAS LAS COLAS, PARECEN UNAS RATAS GIGANTES QUE ESTÁN MUY DELGADAS.
NO OBSTANTE, UNA ARDILLA AFEITADA ES MÁS AERODINÁMICA. SOBRE TODO SI SE UNTA CON UN BUEN LUBRICANTE.
BRAKOW!
¡EH! ¡ESO SON DISPAROS!

¿LABRAZIO?

¡LA HAN MATADO! ¡EN PLENA CALLE! ¡LE HAN DISPARADO COMO SI FUERA UN PERRO!

Norton's
PUB
NORTON,
HA... HA-HA...

¿MAMÁ?

¡OH, DIOS, NO! ¡MAMÁ! ¡MAMÁ!

EL HOMBRE QUE VI EN ESE COCHE ERA... CREO QUE ERA LABRAZIO.
¡NO DIGAS DISPARATES! ESE COCHE IBA DEMASIADO RÁPIDO. NO PUDISTE VERLO BIEN. TU IMAGINACIÓN TE HA JUGADO UNA MALA PASADA.

¡ERA ÉL!
¡DURANTE TODA MI VIDA HE INTENTADO OLVIDAR LA CARA CON LA QUE ME MIRÓ ANTES DE QUE LE REVENTARA LOS SESOS CON UNA PIEDRA! ¡¿ACASO CREES QUE UN CRÍO DE TRECE AÑOS ES CAPAZ DE OLVIDAR ALGO ASÍ?!

ESCUCHA, ESTO NO TIENE SENTIDO...
¡CLARO QUE SÍ! ¿QUIÉN ERA LA ÚNICA PERSONA APARTE DE NOSOTROS QUE SABÍA DÓNDE ESTABA ENTERRADO LABRAZIO? ¡ESE IDIOTA DE STEVE EL APESTOSO!
¡LE ORDENAMOS DESTROZAR LA LÁPIDA! ¡Y DIMOS POR SENTADO QUE ERA TAN TONTO QUE NO SE DARÍA CUENTA DE LO QUE ESTABA HACIENDO!

¡PERO LO CAPTURARON! ¡SE LO SONSACARON Y LO CONVIRTIERON EN UN ZOMBIMBÉCIL! ¡EL POPE HA TRAÍDO A LABRAZIO DE ENTRE LOS MUERTOS!
ESO ES IMPOSIBLE. LLEVA MUERTO MUCHO TIEMPO, Y LE MACHACASTE LA CABEZA A CONCIENCIA, ¿VERDAD? ¡Y SIN CEREBRO, NO FUNCIONAN! ¡ESTÁS BASTANTE PARANOICO!

ERA ÉL. Y LO VOY A DEMOSTRAR. ¡Y LUEGO LO VOY A VOLVER A MATAR!

¡LA MUERTE ES ALGO DEMASIADO BUENO PARA LOS QUE TE HAN HECHO ESTO, MAMÁ! ¡PERO NUESTRO PUEBLO SABE CÓMO HAY QUE ATORMENTAR A LOS PERVERSOS! ¡TE JURO, MAMÁ, QUE VAN A SUFRIR LO INDECIBLE!

BRUTO, ESTABA AL OTRO LADO DE LA CALLE COMPRANDO NARANJAS CUANDO LA MATARON. TE HE ANOTADO LA MARCA Y EL MODELO DEL COCHE DESDE EL QUE DISPARÓ EL ASESINO EN ESTE PAPEL, ASÍ COMO ALGUNOS NÚMEROS DE LA MATRÍCULA... ES QUE NO LA RECUERDO ENTERA. TOMA.

INVESTIGA ESTO, FRANKY. CASI SEGURO QUE ERA UN CARRO ROBADO, PERO COMPRUÉBALO POR SI ACASO.

¿ADÓNDE VAS?
¡A DEMOSTRAR UNA COSA!

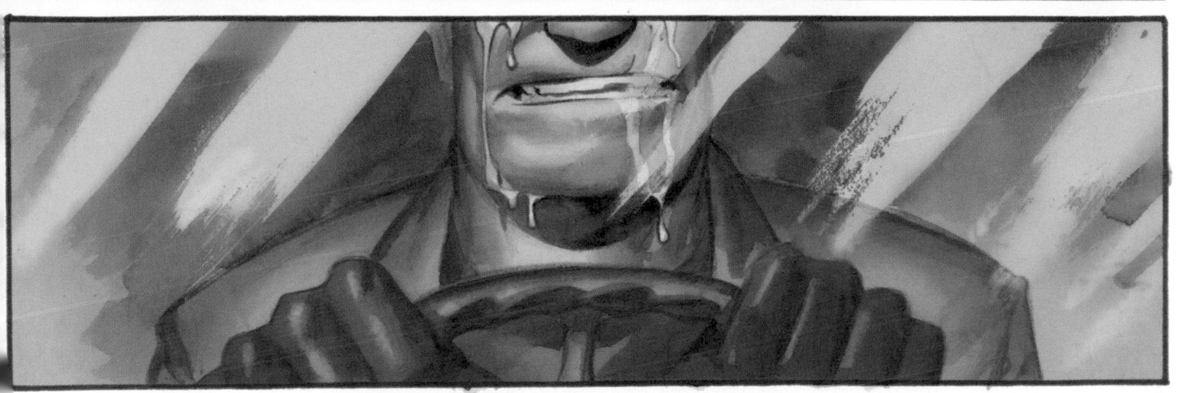

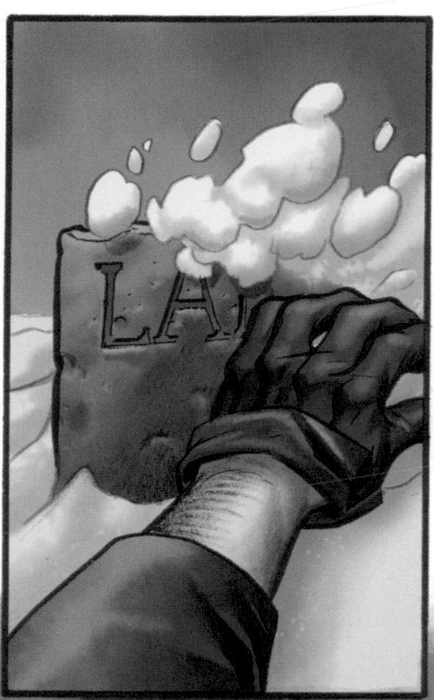

LA

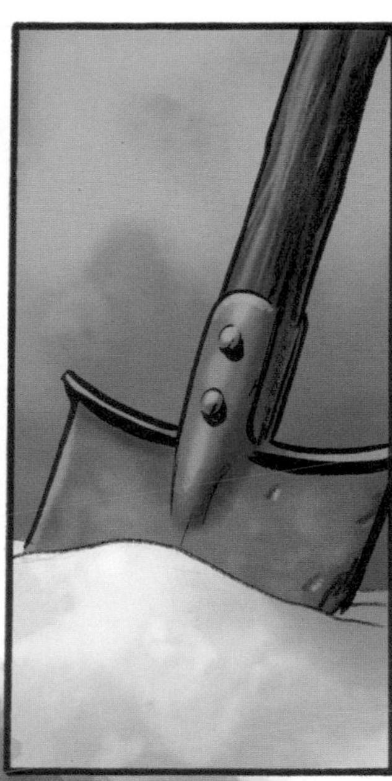

THUD!
THUD!

ME PREGUNTO CUÁNTO TIEMPO HABRÁ ESTADO VACÍO TU ATAÚD...

¿LABRAZIO?

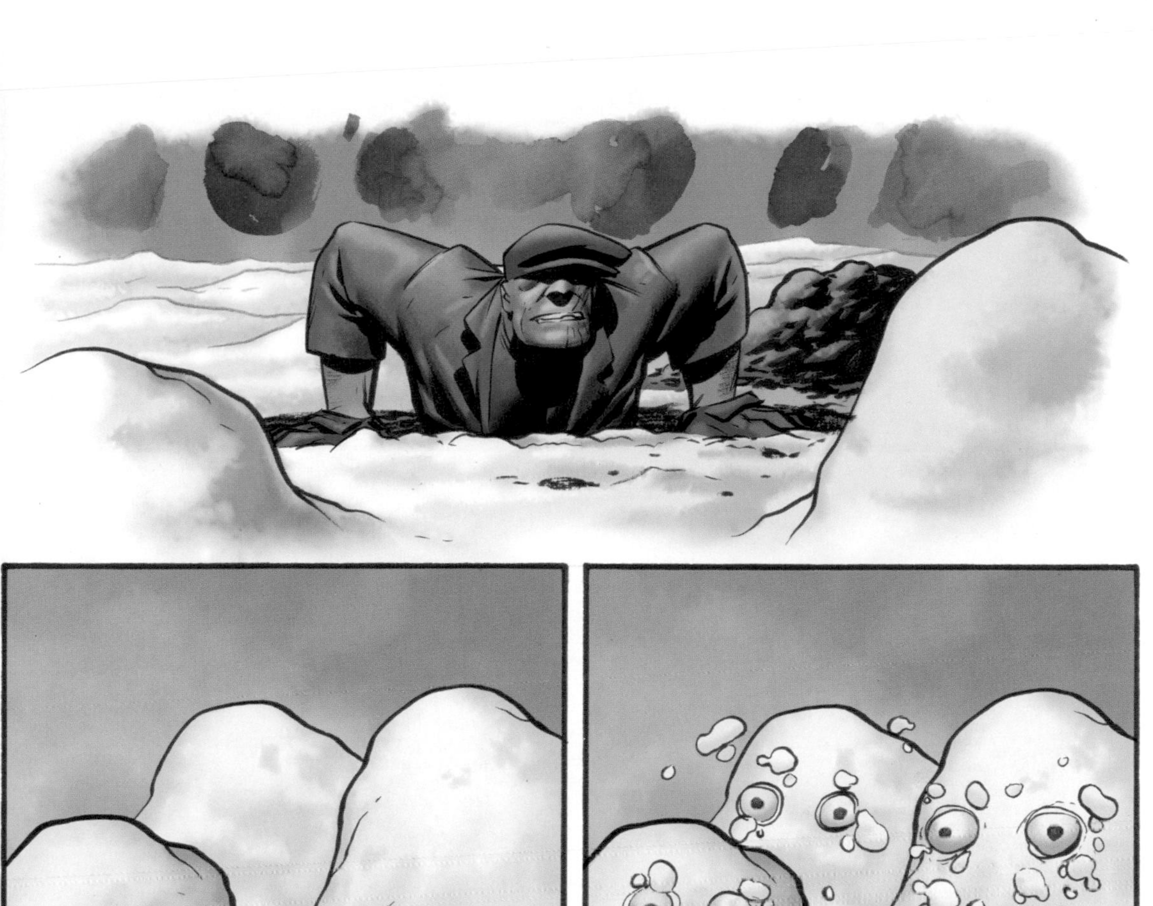

¡ES UNA TRAMPA!

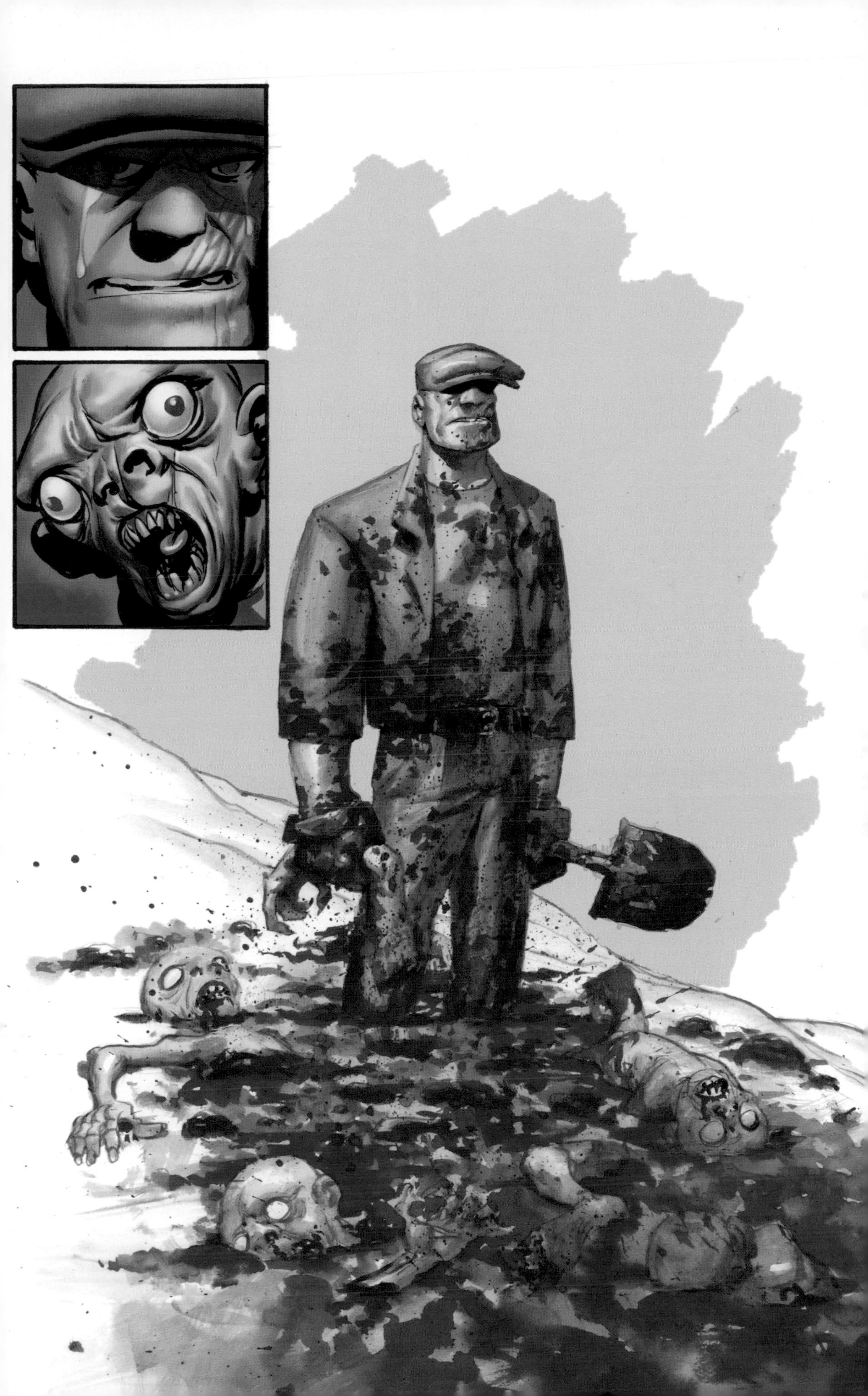

SÉ QUE NUESTRAS FAMILIAS HAN SIDO ENEMIGAS DESDE MUCHO ANTES DE QUE YO NACIERA, PERO TAMBIÉN SÉ QUE DESCENDEMOS DE LA MISMA TRIBU.
FUERA CUAL FUESE EL MOTIVO DE NUESTRO DISTANCIAMIENTO, SEGUIMOS SIENDO FAMILIA. Y COMO ESOS HOMBRES HAN ASESINADO A MI MADRE, EXIJO VENGANZA EN NOMBRE DE MAMÁ Y DE NUESTRA TRIBU.

JALIA ABANDONÓ LA TRIBU DE MANERA DESHONROSA. NO PUEDO HACERLO POR ELLA.
PERO PUEDO HACERLO POR TI. ¿QUÉ NOS OFRECES A CAMBIO?

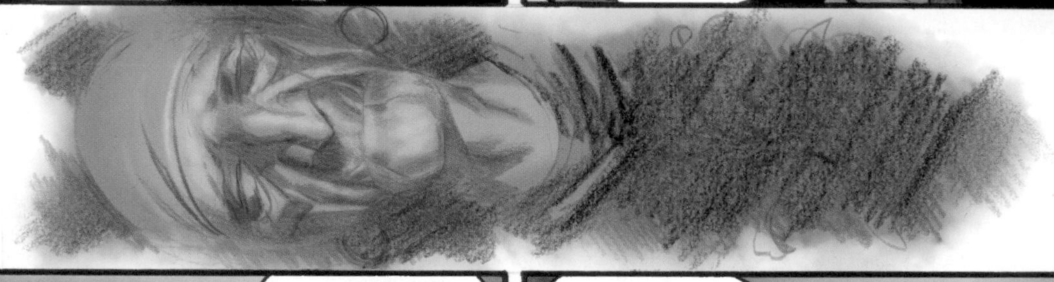

¡LABRAZIO ESTABA AHÍ! ¡EN EL ATAÚD! ¡O ME ESTOY VOLVIENDO LOCO, O ALGUIEN ESTÁ JUGANDO CONMIGO!
BRUTO, TIENES QUE OÍR ESTO.

NO TE LO VAS A CREER, PERO... EL COCHE DE LOS ASESINOS PERTENECE A *MADAME* ELSA.
A ESA DAMA FRANCESA QUE REGENTA EL CABARET.

Club Limbo

NO SÉ POR QUÉ SIGUE AQUÍ REALMENTE,
SOLO SÉ QUE SERÍA MEJOR QUE SE FUERA.
ESE HOMBRE ESTÁ LOCO POR MÍ,
PERO ESO SOLO DEMUESTRA QUE ESTÁ LOCO.

GENIAL COMO SIEMPRE, MIRNA.
GRACIAS, RICKY.

Ring!
Ring!
Ring!

¿DIGA?
MIRNA...
¿DI-DIGA?

¡¿S-SKINNY?!
¿POR QUÉ ME ABANDONASTE? ¿POR QUÉ?

¡EH, MIRNA! ¡¿QUÉ MOSCA TE HA PICADO?!

¿DIGA? ¿DIGA?

MADAME ELSA
CABARET
¡ATRÁS, PAYASOS! ¡COMO YO HE MANGADO ESTE SALMÓN, ME QUEDO CON SUS ENTRAÑAS!

¡PUEDE QUE HAYAS CHORIZADO ESE PEZ, PERO YO HE MONTADO EL CHISME PARA SACARLE LAS TRIPAS! ¡ASÍ QUE ME QUEDARÉ CON LA MITAD, QUE ES LO JUSTO!
¡SOLO SON UN PAR DE LADRILLOS QUE ENCONTRASTE EN UN PORTAL! ¡NO HAS HECHO NADA, ASÍ QUE NO VAS A QUEDARTE CON MIS ENTRAÑAS!

¡MIRA, CHARLENE, ESTOY HABLANDO MENTALMENTE!
¡Y ESTOY DICIENDO QUE A VECES LOS SALMONES SON MALOS A PESAR DE SER BUENOS!

¡OH, QUE TE DEN, SMITTY! ¡DANOS LO QUE ES NUESTRO!

FLBLRRT!

¡MIRA LO QUE HAS HECHO! HAS DESPARRAMADO TODAS LAS ENTRAÑAS...

¡VALE, PAYASOS, VAMOS!
¡GAFOTAS, ECHA UN VISTAZO AL COCHE!

¡ARRIBA, PEE-WEE! ¿QUÉ VES?
¡ESTÁ CERRADO! ¡Y NO VEO QUE HAYA NADA DENTRO!

SOLO VEO A UNAS CUANTAS SEÑORITAS EN PAÑOS MENORES. PERO NO VEO A NINGÚN TÍO CON MOSTACHO QUE DÉ MIEDO.
¡YO TAMBIÉN QUIERO MIRAR!

ESTIMADO BRUTO:

TAL Y COMO ME PIDIÓ, AQUÍ TIENE LOS COMUNICADORES. AUNQUE HE JURADO QUE NUNCA VOLVERÍA A UTILIZAR MI INTELECTO PARA INMISCUIRME EN LOS ASUNTOS DEL MUNDO EXTERIOR, COMO TENGO LA SENSACIÓN DE QUE SIEMPRE ESTARÉ EN DEUDA CON USTED, LE RUEGO QUE ACEPTE ESTE OBSEQUIO, POR FAVOR.

ATENTAMENTE,
DR. HIERONYMOUS ALEACIÓN

¡HABÍA UN HOMBRE SIN OJOS EN LA VENTANA!

CALLEJÓN
SOLITARIO

BUENO, MANOS A LA OBRA.

OYE, AMIGO, ¿NO TE APETECE COMER UN POCO DE CARNE HUMANA?

¡BAGGA DAH!
VAAAALE.

BRUTO, NO TE LO VAS A CREER, PERO ME DA LA IMPRESIÓN DE QUE EL CALLEJÓN SOLITARIO ESTÁ DESIERTO. APARTE DE UN MUERTO QUE DEAMBULA PERDIDO POR AQUÍ, NO HAY NADIE MERODEANDO POR ESTE LUGAR.

¿CREES QUE EL POPE SE HA PIRADO?
NOS VEMOS EN EL BAR DE NORTON, WILLY.

AQUÍ ESTÁ PASANDO ALGO MUY CHUNGO. ESTO ME DA MUY MALA ESPINA.
A TI Y A MÍ.

NORTON'S
PUB

NORTON... ¿QUÉ COÑO HACEN ESOS DOS AQUÍ?

BRUTO, ESCUCHA, HEMOS LLEGADO A UN ACUERDO.

ME DA QUE YA NO RECUERDAS LO QUE ESA MUJER INTENTÓ HACERTE EN SU MOMENTO.

ES COMPLICADO. MIRA, TÚ NO ENTIENDES LA FORMA DE ACTUAR DE NUESTRO PUEBLO. VOY A VENGAR LA MUERTE DE MI MADRE.
¡¿ES QUE NO CONFÍAS EN QUE YO LA VENGUE POR TI, Y POR ESO HAS LLAMADO A ESTA BRUJA?! ¡¿CUÁNDO TE HE DEJADO EN LA ESTACADA, NORTON?!

NO MALINTERPRETES MIS INTENCIONES, BRUTO. LOS AMIGOS DE MI MARIDO SON MIS AMIGOS. SUS ENEMIGOS, MIS ENEMIGOS.
¡PARA EL CARRO! "¡¿MARIDO?!"

SÍ, ASÍ HEMOS ACABADO CON LOS PROBLEMAS QUE HAN SEPARADO A NUESTRAS FAMILIAS DURANTE TANTO TIEMPO.

POR FAVOR. DEBERÍAMOS SER AMIGOS.
¡A OTRO PERRO CON ESE HUESO, SEÑORITA!

VAS A TENER QUE DARLE CIERTO TIEMPO PARA QUE LO ACEPTE, CHATA. EN SU DÍA, LE DISTE DONDE MÁS LE DUELE, Y SI ALGO SE LE DA MUY BIEN, ES GUARDAR RENCOR.

NORTON, ¿ESTÁS SEGURO DE QUE TE QUIERES CASAR CON ESTA SEÑORITA? SI NI SIQUIERA LA CONOCES.
LOS MATRIMONIOS CONCERTADOS SON UNA COSTUMBRE DE MI PUEBLO.

BUENO... SE ME OCURREN COSTUMBRES MUCHO PEORES.

MIRNA.
DEJASTE QUE ME MATARAN.

BUS
UN BILLETE, POR FAVOR.
¿ADÓNDE?
A CASA.

BAKE
NADIE PUEDE ESCONDERSE DE MÍ.

DARÉ CON ESE ASESINO Y LE LANZARÉ UNA MALDICIÓN TAN TERRIBLE QUE, EN TODO MOMENTO EN QUE PERMANEZCA DESPIERTO, SUFRIRÁ UN GRAN TORMENTO.

AHH, YA TE VEO.

¿AH, SÍ?

¡NO!

¡VAMOS, PELEA CONMIGO, SO PUTA!

¡VUÉLCALO!

¡NOS ENFRENTAMOS A UNA MALDAD QUE SUPERA TODO A LO QUE ME HE ENFRENTADO HASTA AHORA!

¡ESTAMOS CONDENADOS!

SEGUID HACIENDO COMO QUE JUGAMOS A LAS CANICAS. DENTRO DE UN RATO, LE GOLPEARÁS A PEE-WEE EN LA CABEZA UNAS CUANTAS VECES PARA ARMAR UN BUEN FOLLÓN, CHARLENE. MIENTRAS, YO IRÉ A LA PARTE DE ATRÁS E INTENTARÉ COLARME EN EL CABARET.
¡EL BRUTO NO NOS DIJO QUE NOS COLÁRAMOS! SOLO DIJO QUE VIGILÁRAMOS ESTE SITIO.
MIRA, AQUÍ NO ESTÁ PASANDO NADA, Y ME...
DICEN QUE HAY QUE ESCUCHAR A LOS NIÑOS. Y ESTOY DE ACUERDO.
PERO CREO QUE ES MEJOR ESCUCHARLOS... GRITAR.

¡AHHH!
¡CORRED!

¡BRUTO!
¡SOCORRO!
¡POR FAVOR, SR. BRUTO, NOS VA A MATAR!

¡MIMBRE!

BOOM!

RAHH!

PERO, ¡¿QUÉ COÑO ESTÁ PASANDO AQUÍ?!

BUENO, FINGÍAMOS QUE ESTÁBAMOS JUGANDO A LAS CANICAS Y LUEGO CHARLENE IBA A DARME UN GOLPE EN LA CABEZA PERO ESA COSA APARECIÓ E INTENTÓ MATARNOS PERO TÚ LOGRASTE QUE DESAPARECIERA.

VOLVED A CASA.

SLAP!

FIN

PORQUE TODOS SABEMOS QUE LO ECHABAIS DE MENOS VUELVE
VALENTÍN EL GUAPÍN
EN ¡ALABADA SEA OPRAH!

ATENCIÓN, ESPECTADORES QUE ESTÁIS EN CASA Y PÚBLICO DEL ESTUDIO... ¡AQUÍ LLEGA OPRAH! ¡ARRODILLAOS ANTE VUESTRA DIOSA!

¡HOLAAAAA, CHICOS!

¡HOY, ANTES DE DAROS UN MONTÓN DE REGALOS DE MIS PATROCINADORES, OS VOY A HABLAR DE *EL SECRETO*!
El Secreto

¡LA OPRAH VA A CONTARNOS EL GRAN SECRETO! ¡LOS GRANDES MISTERIOS VAN A SER REVELADOS!

¡ESTA FILOSOFÍA, QUE CAMBIARÁ VUESTRAS VIDAS, OS PERMITIRÁ ALCANZAR CUALQUIER META QUE OS PROPONGÁIS! ¡SERÉIS SUPERRICOS! ¡TENDRÉIS UN NUEVO COCHE! ¡OS CASARÉIS CON UNA *TOP MODEL*! Y AQUÍ VIENE LO MEJOR... ¡NO TENDRÉIS QUE ESFORZAROS LO MÁS MÍNIMO!

¡ESO ES! ¡LO ÚNICO QUE TENÉIS QUE HACER ES MANTENER UNA ACTITUD POSITIVA CONSTANTE! DE ESE MODO, VUESTRAS INVISIBLES Y MÁGICAS ONDAS CEREBRALES INFLUIRÁN EN EL UNIVERSO QUE OS RODEA, ¡Y ESTE OS DARÁ TODO CUANTO DESEÁIS! ¡PERO PARA QUE COMPROBÉIS QUE NO HABLO POR HABLAR, VED ESTOS FRAGMENTOS EXTRAÍDOS DEL DVD DE *EL SECRETO*, QUE HA SIDO REALIZADO POR UN EQUIPO DE ESPECIALISTAS EN MARKETING ESPECIALIZADOS EN PENSAMIENTO POSITIVO, Y QUE PODÉIS COMPRAR POR SOLO 19,95 DÓLARES!

¡OTRO ATASCO! ¡OH, QUÉ TRUÑO! ¡ESTO ES CULPA DE MIS PENSAMIENTOS NEGATIVOS! ¡HE PROVOCADO ESTE ATASCO CON MI MENTE PORQUE SIEMPRE ESTOY PREOCUPADO POR LLEGAR A TIEMPO AL TRABAJO! ¡MALDITA ENERGÍA NEGATIVA!

ESTE POBRE GILIPOLLAS HA SUFRIDO UN ATAQUE AL CORAZÓN Y SE HA ESTRELLADO CONTRA UN CAMIÓN.
¡EH, CONOZCO A ESTE TÍO! TIENE ESPOSA Y DOS HIJOS. LA MUJER TIENE CÁNCER Y LAS ESTABAN PASANDO CANUTAS PARA PAGAR LAS FACTURAS. ¿AHORA QUÉ VA A SER DE ELLOS?
¡JO, QUÉ TRUÑO! ¡MALDITA SEA MI NEGATIVIDAD! ¡VOY A LLEGAR UN CUARTO DE HORA TARDE! ¿POR QUÉ ME PASA ESTO A MÍ?

SEGÚN LA FILOSOFÍA DE *EL SECRETO*, TODO LO MALO QUE NOS SUCEDE EN LA VIDA ES CULPA DE NUESTRA NEGATIVIDAD. POR TANTO, TODA LA GENTE QUE APARECE EN ESTA LISTA ES RESPONSABLE DE TODO LO MALO QUE LES HA PASADO: LOS JUDÍOS DEL HOLOCAUSTO; LAS VÍCTIMAS DEL KATRINA; LAS VÍCTIMAS DE VIOLACIONES, INCESTOS Y ABUSOS SEXUALES; LAS VÍCTIMAS DE ASESINATO; TODA LA GENTE QUE VLAD EL EMPALADOR EMPALÓ; CUALQUIERA QUE HAYA SIDO ASESINADO O MUTILADO EN UNA GUERRA; LOS POBRES; LOS ENFERMOS DE CÁNCER; LOS CIEGOS; AQUELLOS QUE HAN PERDIDO UNA PIERNA POR CULPA DEL ATAQUE DE UN TIBURÓN; LOS PADRES QUE PIERDEN A UN HIJO POR CULPA DE UNA ENFERMEDAD INCURABLE; TODOS LOS HABITANTES DEL MUNDO QUE VIVEN AHORA BAJO LA FALTA DE UN LIDERAZGO COMPETENTE DE LOS EE UU, CON INDEPENDENCIA DE QUE ESTÉ EL PARTIDO DEMÓCRATA O REPUBLICANO EN EL PODER, ETC.

¡ME HE ENTERADO DE QUE ALGUIEN ESTÁ GANANDO MUCHA PASTA VENDIENDO UNA AUTÉNTICA ! ¡SI ALGUIEN ESTÁ TIMANDO A UNOS PRIMOS, FRANKY QUIERE SU PARTE!

SEÑORA, ¡¿ES NORMAL QUE SU CABEZA TENGA ESE ASPECTO?!

¡UAAAAAH! ¡CA-CAA!
HABÍA ALGO QUE ME OLÍA MAL EN ESA TÍA, PERO NUNCA SOSPECHÉ QUE SU CEREBRO ESTUVIERA COMPUESTO POR UN RETRASADO MENTAL DE MEDIANA EDAD QUE SE PASA EL DÍA TIRANDO SUS CAGADAS POR TODAS PARTES.
¡BAHGAAA! ¡LA RAJA DEL CULO TE HUELE A QUESO!
CHICK MAGNET
¡SÍ, DAMAS Y CABALLEROS, AMIGOS Y VECINOS, NO SE LO PIERDAN! ¡SE TRATA DEL MÉTODO DE AUTOAYUDA Y MEJORA PERSONAL DE VALENTÍN EL GUAPÍN! ¡SÍ, SE TRATA DEL MISMÍSIMO MÉTODO DE AUTOAYUDA DE VALENTÍN EL GUAPÍN QUE HA AYUDADO A MILLONES DE PERSONAS EN TODO EL MUNDO!
AUNQUE UNA DE TUS MANOS ESTÉ LLENA DE UNA SUSTANCIA MARRÓN Y LA OTRA MANO EN LA QUE SOSTIENES TUS DESEOS PAREZCA VACÍA... ¡NO TE PREOCUPES! ¡ESTÁN AHÍ! ¡SOLO NECESITAS TENER FE! ¡SI COMPRASTE ESA DE *EL SECRETO*, DEBERÍAS COMPRAR TAMBIÉN SIN DUDARLO ESTA NUEVA SOLUCIÓN A TUS PROBLEMAS!
CHICK MAGNET
¡SÍ, EL MÉTODO DE AUTOAYUDA Y MEJORA PERSONAL DE VALENTÍN EL GUAPÍN CONSISTE EN SOSTENER UN BUEN CHORONGO EN UNA MANO Y UN DESEO EN LA OTRA! ¡DE ESE MODO, LA CAGARRUTA EQUILIBRARÁ TUS DESEOS!
TÍO, ESTE TEXTO FUE ESCRITO EL 21 DE MARZO DE 2007 Y VA A SALIR PUBLICADO EN JULIO. ANTES DE QUE ESTE CÓMIC SE IMPRIMA, YA HABRÁ ALGÚN EPISODIO DE SOUTH PARK CRITICANDO *EL SECRETO*.
OH, CLARO, COMO NO TENEMOS LA VENTAJA DE LA INMEDIATEZ DE UNA SERIE DE TELEVISIÓN, TENEMOS QUE ABSTENERNOS DE HACER UN HUMOR BURDO Y PREVISIBLE, ¿EH? ¡LARGAOS DE AQUÍ CAGANDO LECHES ANTES DE QUE LE DIGA A VALENTÍN EL GUAPÍN QUE OS CRUCE LA CARA CON LA MANO LLENA DE MIERDA!

FIN